개념 × 서술형은
문제해결력 향상을 통해
개념을 완성시키는
솔루션입니다.

김명중_ 상도 뉴스터디, 풍산자수학연구소 연구위원

설성환_ 광명 더옳은수학, 풍산자수학연구소 연구위원

이지은_ 부산 하이매쓰, 풍산자수학연구소 연구위원

윤형은_ 상도 뉴스터디, 풍산자수학연구소 연구위원

연구진

이동환_ 부산교육대학교 교수
이상욱_ 풍산자수학연구소 책임연구원

집필진

강연주_ 상도 뉴스터디, 풍산자수학연구소 연구위원
김규상_ 광명 더옳은수학, 풍산자수학연구소 연구위원
김명중_ 상도 뉴스터디, 풍산자수학연구소 연구위원
설성환_ 광명 더옳은수학, 풍산자수학연구소 연구위원
이지은_ 부산 하이매쓰, 풍산자수학연구소 연구위원
윤형은_ 상도 뉴스터디, 풍산자수학연구소 연구위원

교과서 속 서술형을 빠르게!

풍산자

개념 ✕ 서술형

초등 수학 5-1

구성과 특징

개념 이해

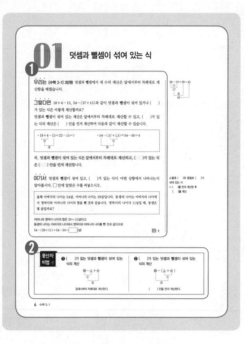

❶ 이미 배운 내용으로 앞으로 배울 내용을 자연스럽게 연계한 개념학습으로 읽으면서 이해할 수 있도록 개념을 설명했어요.

❷ 읽으면서 이해한 개념을 풍산자만의 비법으로 한눈에 정리할 수 있도록 하였습니다.

3단계 문제 해결

1단계 따라 푸는 서술형

개념과 관련된 대표 서술형 문제를 따라 풀어보며 배운 개념을 문제에 적용해요.

2단계 따라 푸는 문장제 서술형

많은 학생들이 어려워하는 문장제 서술형만 모았어요. 따라 풀기로 공부한다면 쉽게 해결할 수 있어요.

초등 풍산자 개념×서술형의 포인트

1 읽으면서 이해되는 개념
이미 학습한 개념을 바탕으로 앞으로 배울 개념을 자연스럽게 배웁니다.

2 꼭 필요한 핵심 개념 수록
교과서 단원을 재구성한 핵심 개념으로 수학을 가장 빠르고 쉽게 익힙니다.

3 학습에 가장 효율적인 3단계 문제
서술형의 3단계 문제 구성으로 수학 실력이 단계적으로 상승합니다.

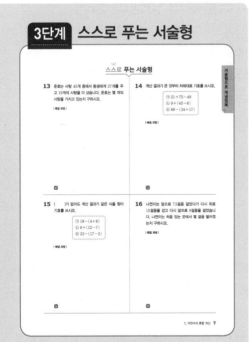

이제는 스스로 문제를 풀어볼까요?
문제 해결 과정을 스스로 서술해보며 개념 적용을 완벽하게 완성해요.

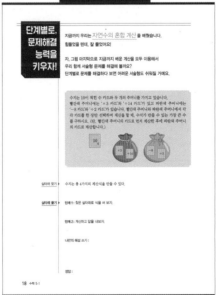

단원별로 배운 내용을 모두 이용해서 서술형 문제를 해결해 보세요. 단계별로 풀어보면 문제 해결 능력을 키울 수 있어요.

차례

1

:::

자연수의 혼합 계산

01 덧셈과 뺄셈이 섞여 있는 식

우리는 [수학 2-1] 3단원 덧셈과 뺄셈에서 세 수의 계산은 앞에서부터 차례대로 계산함을 배웠습니다.

그렇다면 $18+4-15$, $54-(37+13)$과 같이 덧셈과 뺄셈이 섞여 있거나 (   )가 있는 식은 어떻게 계산할까요?

덧셈과 뺄셈이 섞여 있는 계산은 앞에서부터 차례대로 계산할 수 있고, (   )가 있는 식의 계산은 (   ) 안을 먼저 계산하여 다음과 같이 계산할 수 있습니다.

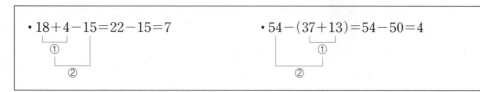

즉, 덧셈과 뺄셈이 섞여 있는 식은 앞에서부터 차례대로 계산하고, (   )가 있는 식은 (   ) 안을 먼저 계산합니다.

여기서 덧셈과 뺄셈이 섞여 있고, (   )가 있는 식이 어떤 상황에서 나타나는지 알아봅시다. ☐ 안에 알맞은 수를 써넣으시오.

> 올해 아버지의 나이는 54살, 어머니의 나이는 39살입니다. 동생의 나이는 아버지의 나이에서 영덕이와 어머니의 나이의 합을 뺀 것과 같습니다. 영덕이의 나이가 11살일 때, 동생은 몇 살일까요?

어머니와 영덕이 나이의 합은 $39+11$(살)이고
동생의 나이는 아버지의 나이에서 영덕이와 어머니의 나이를 뺀 것과 같으므로

$54-(39+11)=54-50=$ ☐ (살)   **답** 4

소괄호 (   )와 중괄호 {   }가 섞여 있는 식
⇨ (   )를 먼저 계산한 후 {   }를 계산

풍산자 비법

❶ (   )가 없는 덧셈과 뺄셈이 섞여 있는 식의 계산

앞에서부터 차례대로 계산한다.

❷ (   )가 있는 덧셈과 뺄셈이 섞여 있는 식의 계산

(   ) 안을 먼저 계산한다.

01 계산 결과를 비교하여 ○ 안에 >, =, <를 알맞게 써넣으시오.

$$15+73-49 \bigcirc 15+(73-49)$$

| 해결 과정 |

$15+73-49=88-49=39$
$15+(73-49)=15+24=39$
따라서 ○ 안에 알맞은 것은 ☐ 입니다.

02 계산 결과를 비교하여 ○ 안에 >, =, <를 알맞게 써넣으시오.

$$52-(34+12) \bigcirc 52-34+12$$

| 해결 과정 |

03 ♥을 다음과 같이 약속할 때, 4♥10의 값을 구하시오.

$$3♥5=3+5-(5-3)$$

| 해결 과정 |

$4♥10=4+10-(10-4)=4+10-6$
$=14-6=$ ☐

04 ♣을 다음과 같이 약속할 때, 16♣12의 값을 구하시오.

$$9♣6=9-(9-6)+6$$

| 해결 과정 |

05 계산 결과가 가장 작은 식의 기호를 쓰시오.

> ㉠ $20-5+4$
> ㉡ $(20-5)+4$
> ㉢ $20-(5+4)$

| 해결 과정 |

㉠ $20-5+4=15+4=19$
㉡ $(20-5)+4=15+4=19$
㉢ $20-(5+4)=20-9=11$
따라서 계산 결과가 가장 작은 식은 ☐ 입니다.

06 계산 결과가 가장 큰 식의 기호를 쓰시오.

> ㉠ $38-27-9$
> ㉡ $(38-27)-9$
> ㉢ $38-(27-9)$

| 해결 과정 |

따라 푸는 문장제 서술형

07 바구니에 사과 52개가 들어 있습니다. 이 중에서 16개를 먹고, 다시 9개를 더 사서 넣었다면 바구니 안의 사과는 모두 몇 개인지 구하시오.

| 문제 이해 |

사과 16개를 먹는다 ⇨ 16을 뺀다
사과 9개를 사서 넣는다 ⇨ 9를 더한다

| 해결 과정 |

$52-16+9=36+9=45$
따라서 바구니 안의 사과는 모두 ☐개입니다.

08 재민이는 82개의 초콜릿을 가지고 있습니다. 형에게 초콜릿 17개를 주고, 동생에게 초콜릿 9개를 받았다면 재민이가 가지고 있는 초콜릿은 모두 몇 개인지 구하시오.

| 문제 이해 |

초콜릿 17개를 준다 ⇨ _____
초콜릿 9개를 받는다 ⇨ _____

| 해결 과정 |

09 1000원으로 240원짜리 사탕 1개와 650원짜리 아이스크림 1개를 샀습니다. 남은 돈은 얼마인지 구하시오.

| 문제 이해 |

(사용한 돈)$=240+650$(원)
(남은 돈)$=$(원래 가지고 있던 돈)$-$(사용한 돈)

| 해결 과정 |

$1000-(240+650)=1000-890=110$
따라서 남은 돈은 ☐원입니다.

10 다현이는 5000원으로 1200원짜리 공책 1권과 500원짜리 연필 1자루를 사고 집에 가는 길에 400원을 주웠습니다. 다현이가 가지고 있는 돈은 얼마인지 구하시오.

| 문제 이해 |

(사용한 돈)$=$_____
(남은 돈)$=$_____

| 해결 과정 |

11 토끼 가족은 총 103마리입니다. 이 중 먹이를 찾아 집을 떠난 토끼가 58마리이고 11마리가 더 태어났습니다. 집에 있는 토끼 가족은 모두 몇 마리인지 구하시오.

| 문제 이해 |

집을 떠난 토끼 58마리 ⇨ 58을 뺀다
태어난 토끼가 11마리 ⇨ 11을 더한다

| 해결 과정 |

$103-58+11=45+11=56$
따라서 집에 있는 토끼 가족은 ☐마리입니다.

12 한 아파트에 총 65가구가 살고 있습니다. 이 중 28가구가 다른 곳으로 이사를 갔고 16가구가 이사를 왔습니다. 이 아파트의 총 가구 수는 얼마인지 구하시오.

| 문제 이해 |

이사를 간 28가구 ⇨ _____
이사를 온 16가구 ⇨ _____

| 해결 과정 |

13 준호는 사탕 45개 중에서 동생에게 27개를 주고 19개의 사탕을 더 샀습니다. 준호는 몇 개의 사탕을 가지고 있는지 구하시오.

| 해결 과정 |

 답

14 계산 결과가 큰 것부터 차례대로 기호를 쓰시오.

> ㉠ $21+75-49$
> ㉡ $9+(45-6)$
> ㉢ $88-(34+17)$

| 해결 과정 |

 답

15 ( )가 없어도 계산 결과가 같은 식을 찾아 기호를 쓰시오.

> ㉠ $18-(4+8)$
> ㉡ $6+(12-7)$
> ㉢ $23-(17-3)$

| 해결 과정 |

답

16 나연이는 앞으로 73걸음 걸었다가 다시 뒤로 15걸음을 걷고 다시 앞으로 9걸음을 걸었습니다. 나연이는 처음 있는 곳에서 몇 걸음 떨어졌는지 구하시오.

| 해결 과정 |

 답

02 곱셈과 나눗셈이 섞여 있는 식

우리는 앞 단원에서 덧셈과 뺄셈이 섞여 있고 (　　)가 있는 계산은 (　) 안을 먼저 계산한 후 앞에서부터 차례대로 계산하였습니다.

$$75-(27+32)=75-59=16$$

그렇다면 $42÷6×2$, $54÷(3×2)$와 같이 곱셈과 나눗셈이 섞여 있거나 (　　)가 있는 식은 어떻게 계산할까요?

곱셈과 나눗셈이 섞여 있는 계산은 덧셈과 뺄셈이 섞여 있는 식의 계산과 같은 방법으로 앞에서부터 차례대로 계산할 수 있고, (　　)가 있는 식의 계산은 (　) 안을 먼저 계산하여 다음과 같이 계산할 수 있습니다.

$(36÷4)×(14÷2)$와 같이 괄호가 두 개 이상 있는 경우
⇨ 괄호 안을 먼저 계산한 후 앞에서부터 차례대로 계산

- $42÷6×2=7×2=14$
- $54÷(3×2)=54÷6=9$

즉, 곱셈과 나눗셈이 섞여 있는 식은 앞에서부터 차례대로 계산하고, (　　)가 있는 식은 (　) 안을 먼저 계산합니다.

여기서 곱셈과 나눗셈이 섞여 있고, (　　)가 있는 식이 어떤 상황에서 나타나는지 알아봅시다. □ 안에 알맞은 수를 써넣으시오.

> 아라네 반 학생들은 4명씩 7조로 앉아 있습니다. 공책 56권을 학생들에게 똑같이 나누어주려고 합니다. 한 사람은 몇 권의 공책을 가지게 될까요?

아라네 반 전체 학생 수는 $4×7$(명)
공책은 모두 56권이 있으므로 한 사람이 가질 수 있는 공책의 수는
$56÷(4×7)=56÷28=$□ (권)   **답** 2

---

❶ (　　)가 없는 곱셈과 나눗셈이 섞여 있는 식의 계산

앞에서부터 차례대로 계산한다.

❷ (　　)가 있는 곱셈과 나눗셈이 섞여 있는 식의 계산

(　　) 안을 먼저 계산한다.

01 계산 결과를 비교하여 ○ 안에 >, =, <를 알맞게 써넣으시오.

$$72 \div 4 \times 6 \bigcirc 72 \div (4 \times 6)$$

| 해결 과정 |

$72 \div 4 \times 6 = 18 \times 6 = 108$

$72 \div (4 \times 6) = 72 \div 24 = 3$

따라서 ○ 안에 알맞은 것은 □ 입니다.

02 계산 결과를 비교하여 ○ 안에 >, =, <를 알맞게 써넣으시오.

$$14 \times 21 \div 3 \bigcirc 14 \times (21 \div 3)$$

| 해결 과정 |

03 ♥을 다음과 같이 약속할 때, 30♥6의 값을 구하시오.

$$9 ♥ 3 = 9 \times 3 \div (9 \div 3)$$

| 해결 과정 |

$30 ♥ 6 = 30 \times 6 \div (30 \div 6) = 30 \times 6 \div 5$

$= 180 \div 5 = \boxed{}$

04 ♣을 다음과 같이 약속할 때, 10♣5의 값을 구하시오.

$$16 ♣ 8 = 16 \times (16 \div 8) \times 8$$

| 해결 과정 |

05 계산 결과가 큰 식의 기호를 쓰시오.

㉠
$18 \times 4 \div (3 \times 2)$

㉡
$2 \times 21 \div (49 \div 7)$

| 해결 과정 |

㉠ $18 \times 4 \div (3 \times 2) = 18 \times 4 \div 6 = 72 \div 6 = 12$

㉡ $2 \times 21 \div (49 \div 7) = 2 \times 21 \div 7 = 42 \div 7 = 6$

따라서 계산 결과가 큰 식은 □ 입니다.

06 계산 결과가 작은 식의 기호를 쓰시오.

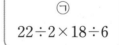

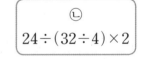

| 해결 과정 |

07 사과 48개를 12개씩 상자에 나누어 담으려고 합니다. 사과 한 상자의 가격이 5000원일 때, 사과의 가격은 모두 얼마인지 구하시오.

| 문제 이해 |

사과를 12개씩 담는다 ⇨ 12로 나눈다
사과의 총 가격 ⇨ (상자의 개수)×5000(원)

| 해결 과정 |

$(48 \div 12) \times 5000 = 4 \times 5000 = 20000$
따라서 사과의 가격은 ☐ 원입니다.

08 펜 30개를 6개씩 1세트로 묶어 판매하려고 합니다. 1세트의 가격이 700원일 때, 펜의 가격은 모두 얼마인지 구하시오.

| 문제 이해 |

펜을 6개씩 묶는다 ⇨ _____
펜의 총 가격 ⇨ _____

| 해결 과정 |

09 연필 6타를 8명에게 똑같이 나누어 주려고 합니다. 한 명이 받을 연필은 몇 자루인지 구하시오.

| 문제 이해 |

연필 6타 ⇨ 12×6(자루)
8명에게 똑같이 나누어 준다 ⇨ 8로 나눈다

| 해결 과정 |

$12 \times 6 \div 8 = 72 \div 8 = 9$
따라서 한 명이 받을 연필은 ☐ 자루입니다.

10 1상자에 14개씩 들어 있는 젤리 6상자를 7명에게 똑같이 나누어 주려고 합니다. 한 사람이 받을 젤리는 몇 개인지 구하시오.

| 문제 이해 |

14개씩 들어 있는 젤리 6상자 ⇨ _____
7명에게 똑같이 나누어 준다 ⇨ _____

| 해결 과정 |

11 자두 2개의 무게는 300 g입니다. 똑같은 자두 10개의 무게는 몇 g인지 구하시오.

| 문제 이해 |

자두 2개의 무게 300 g ⇨ 자두 1개의 무게는
$300 \div 2$(g)

| 해결 과정 |

$(300 \div 2) \times 10 = 150 \times 10 = 1500$
따라서 자두 10개의 무게는 ☐ g입니다.

12 물감 4개의 가격은 10000원입니다. 똑같은 물감 10개의 가격은 얼마인지 구하시오.

| 문제 이해 |

물감 4개의 가격 10000원 ⇨ _____

| 해결 과정 |

13 계산 결과를 비교하여 ○ 안에 >, =, <를 알맞게 써넣으시오.

$$72 \div (18 \div 2) \times 3 \bigcirc 72 \div 18 \div 2 \times 3$$

| 해결 과정 |

답

14 □ 안에 들어갈 수 있는 가장 작은 자연수를 구하시오.

$$18 \times 5 \div (30 \div 6) < \square$$

| 해결 과정 |

답

15 지수가 가지고 있는 색 테이프는 105 cm이고, 영미가 가지고 있는 색 테이프는 7 cm를 겹치는 부분 없이 3번 이어붙인 것입니다. 지수가 가지고 있는 색 테이프의 길이는 영미가 가지고 있는 색 테이프의 길이의 몇 배인지 구하시오.

| 해결 과정 |

답

16 한 사람이 10분에 종이학을 3개씩 만들 수있다고 합니다. 4명이 종이학 216개를 만들려면 몇 시간이 걸리는지 구하시오.

| 해결 과정 |

답

03 덧셈, 뺄셈, 곱셈, 나눗셈이 섞여 있는 식

우리는 앞 단원에서 덧셈과 뺄셈 또는 곱셈과 나눗셈이 섞여 있고 (   )가 있는 계산은 (   ) 안을 먼저 계산하고 앞에서부터 차례대로 계산하였습니다.

그렇다면 $96 \div 4 - (3+5) \times 2$와 같이 덧셈, 뺄셈, 곱셈, 나눗셈이 섞여 있는 식은 어떻게 계산할까요?

덧셈, 뺄셈, 곱셈, 나눗셈이 섞여 있는 식은 곱셈과 나눗셈을 먼저 계산하고, (   )가 있으면 (   ) 안을 가장 먼저 계산하여 오른쪽과 같이 계산할 수 있습니다.

즉, 덧셈, 뺄셈, 곱셈, 나눗셈, (   )가 섞여 있는 식은 (   ) 안을 먼저 계산하고 곱셈과 나눗셈, 덧셈과 뺄셈 순서로 계산합니다.

$$96 \div 4 - (3+5) \times 2 = 96 \div 4 - 8 \times 2$$
$$= 24 - 8 \times 2$$
$$= 24 - 16$$
$$= 8$$

여기서 덧셈, 뺄셈, 곱셈, 나눗셈이 섞여 있는 식이 어떤 상황에서 나타나는지 알아봅시다. □ 안에 알맞은 수를 써넣으시오.

> 사과 2개의 무게는 400 g이고 배 1개의 무게는 500 g입니다. 사과 1개와 배 2개의 무게는 모두 몇 g일까요?

사과 2개의 무게는 400 g이므로 사과 1개의 무게는 $400 \div 2$(g)
배 1개의 무게는 500 g이므로 배 2개의 무게는 500×2(g)
사과 1개와 배 2개의 무게는 $(400 \div 2) + (500 \times 2) = 200 + 1000 = \boxed{}$(g)

답▶ 1200

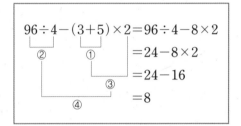

$$52 - (14+16) = 52 - 30 = 22$$

$$54 \div (3 \times 6) = 54 \div 18 = 3$$

(   )가 있는 덧셈, 뺄셈, 곱셈, 나눗셈이 섞여 있는 식의 계산 순서

(   ) 안을 먼저 계산한다.

▼

곱셈과 나눗셈을 앞에서부터 차례대로 계산한다.

▼

덧셈과 뺄셈을 앞에서부터 차례대로 계산한다.

풍산자 비법

❶ (   )가 없는 덧셈, 뺄셈, 곱셈, 나눗셈이 섞여 있는 식의 계산

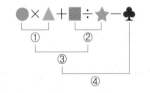

곱셈과 나눗셈을 먼저 계산한다.

❷ (   )가 있는 덧셈, 뺄셈, 곱셈, 나눗셈이 섞여 있는 식의 계산

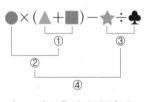

(   ) 안을 먼저 계산한다.

01 $45-4\times5\div2$를 계산하시오.

| 해결 과정 |

$$45-4\times5\div2=45-20\div2$$
$$=45-10=\boxed{}$$

02 $13+35\div5-4\times2$를 계산하시오.

| 해결 과정 |

03 가장 먼저 계산해야 할 식을 쓰시오.

$$8+16\div4-3\times15$$

| 해결 과정 |

덧셈, 뺄셈, 곱셈, 나눗셈이 섞여 있는 식의 계산에서 먼저 계산해야 하는 것은 곱셈과 나눗셈입니다.
곱셈과 나눗셈이 섞여있는 경우 앞에서부터 계산합니다.
따라서 가장 먼저 계산해야 하는 식은 $\boxed{}$입니다.

04 가장 먼저 계산해야 할 식을 쓰시오.

$$75-7+4\times56\div7-16$$

| 해결 과정 |

05 $7\times\{(34-21)+2\}$를 계산하시오.

| 해결 과정 |

괄호 ( ), { }가 있는 경우 제일 먼저 계산해야하는 괄호는 ( )입니다.
$$7\times\{(34-21)+2\}=7\times(13+2)$$
$$=7\times15=\boxed{}$$

06 $\{(12+51)\div9\}-4$를 계산하시오.

| 해결 과정 |

따라 푸는 문장제 서술형

07 하나의 식으로 나타내고 계산하시오.

> 48을 3으로 나눈 몫과 5의 9배의 합에 17을 더합니다.

| 문제 이해 |

48을 3으로 나눈 몫 ⇨ 48을 3으로 나눈다
5의 9배 ⇨ 5와 9를 곱한다

| 해결 과정 |

$(48 \div 3 + 5 \times 9) + 17 = (16 + 45) + 17$
$= 61 + 17 = \boxed{}$

08 하나의 식으로 나타내고 계산하시오.

> 18을 6으로 나눈 몫과 24를 8로 나눈 몫의 합을 92에서 뺍니다.

| 문제 이해 |

18을 6으로 나눈 몫 ⇨ _____

24를 8로 나눈 몫 ⇨ _____

| 해결 과정 |

09 세현이는 11명의 친구들에게 구슬 143개를 똑같이 나누어 주고 20개씩 더 주었습니다. 게임을 하기 위해 한 명당 구슬을 6개씩 걷었다면 친구 한 명이 가진 구슬은 몇 개인지 구하시오.

| 문제 이해 |

11명에게 구슬을 똑같이 나눈다 ⇨ 11로 나눈다
친구들에게 구슬 20개를 준다 ⇨ 20을 더한다
친구들로부터 구슬 6개씩 걷는다 ⇨ 6을 뺀다

| 해결 과정 |

$143 \div 11 + 20 - 6 = 13 + 20 - 6 = 33 - 6 = 27$
따라서 친구 한 명이 가진 구슬은 $\boxed{}$개입니다.

10 흰색과 검은색 바둑돌이 각각 127개, 218개 있습니다. 두 종류의 바둑돌을 섞은 후, 한 상자에 15개씩 나누어 담으면 모두 몇 상자에 담을 수 있는지 구하시오.

| 문제 이해 |

두 종류의 바둑돌을 섞는다 ⇨ _____

한 상자에 15개씩 넣는다 ⇨ _____

| 해결 과정 |

11 자두 2개의 무게는 300 g이고, 살구 1개의 무게는 50 g입니다. 사과 1개의 무게가 250 g일 때, 사과 1개의 무게는 자두 1개와 살구 1개를 더한 무게보다 얼마나 더 무거운지 구하시오.

| 문제 이해 |

자두 2개의 무게 300 g ⇨ 자두 1개의 무게는 $300 \div 2$(g)

| 해결 과정 |

$250 - (300 \div 2 + 50) = 250 - (150 + 50)$
$= 250 - 200 = 50\text{(g)}$
따라서 사과 1개의 무게는 자두 1개와 살구 1개의 무게보다 $\boxed{}$ g 더 무겁습니다.

12 지우개 2개의 무게는 72 g이고, 연필 5자루의 무게는 15 g입니다. 지우개 1개와 연필 1자루의 무게의 합을 구하시오.

| 문제 이해 |

지우개 2개의 무게 72 g ⇨ _____

연필 5자루의 무게 15 g ⇨ _____

| 해결 과정 |

13 계산에서 잘못된 부분을 찾아 그 이유를 설명하고, 바르게 계산하시오.

$$5 \times \{(16-7) \div 3 + 9\} = 5 \times (9 \div 3 + 9)$$
$$= 5 \times (3 + 9)$$
$$= 15 + 9$$
$$= 24$$

| 해결 과정 |

답

14 □ 안에 알맞은 수를 구하시오.

$$\{\square - (2+5) \times 3\} \div 5 = 4$$

| 해결 과정 |

답

15 주영이는 한 봉지에 48개씩 들어 있는 초콜릿을 5봉지 가지고 있습니다. 이 초콜릿을 동생과 똑같이 나누어 가지고, 친구에게 13개를 준 후 동생으로부터 다시 7개를 더 받았습니다. 주영이가 가지고 있는 초콜릿은 모두 몇 개인지 구하시오.

| 해결 과정 |

답

16 유경이는 18개의 딸기를 먹었고, 영우는 유경이가 먹은 딸기의 2배를 먹었습니다. 진영이는 유경이가 먹은 딸기의 수를 3으로 나눈 것보다 10개를 더 먹었다면 영우와 진영이가 먹은 딸기의 차는 몇 개인지 구하시오.

| 해결 과정 |

답

단계별로, 문제해결 능력을 키우자!

지금까지 우리는 자연수의 혼합 계산을 배웠습니다.
힘들었을 텐데, 잘 풀었어요!

자, 그럼 마지막으로 지금까지 배운 계산을 모두 이용해서
우리 함께 서술형 문제를 해결해 볼까요?
단계별로 문제를 해결하다 보면 어려운 서술형도 쉬워질 거예요.

수지는 10이 적힌 수 카드와 두 개의 주머니를 가지고 있습니다.
빨간색 주머니에는 '×3 카드'와 '+14 카드'가 있고 파란색 주머니에는
'−8 카드'와 '÷2 카드'가 있습니다. 빨간색 주머니와 파란색 주머니에서 각
각 카드를 한 장만 선택하여 계산을 할 때, 수지가 만들 수 있는 가장 큰 수
를 구하시오. (단, 빨간색 주머니의 카드로 먼저 계산한 후에 파란색 주머니
의 카드로 계산합니다.)

실타래 찾기 ▶ 수지는 총 4가지의 계산식을 만들 수 있다.

실타래 풀기 ▶ **단계 1:** 찾은 실타래로 식을 써 보자.

단계 2: 계산하고 답을 내보자.

나만의 해설 쓰기 :

정답 :

2

:::

약수와 배수

04 약수, 배수

우리는 [수학 3-1] 3단원 나눗셈에서 곱셈과 나눗셈의 관계를 알아보았습니다. 예를 들어, 21을 곱셈식과 나눗셈식으로 나타내면 다음과 같습니다.

- 곱셈식 ⇨ $7 \times 3 = 21$, $3 \times 7 = 21$
- 나눗셈식 ⇨ $21 \div 7 = 3$, $21 \div 3 = 7$

이때 어떤 수를 나누어떨어지게 하는 수를 그 수의 **약수**라고 합니다. 예를 들어, 21을 나누어떨어지게 하는 수 1, 3, 7, 21은 21의 약수입니다.

또한, 어떤 수를 1배, 2배, 3배……한 수를 그 수의 **배수**라고 합니다. 예를 들어, 7을 1배, 2배, 3배……한 수 7, 14, 21……은 7의 배수입니다.

모든 수는 1로 나누어떨어진다
⇨ 1은 모든 수의 약수

그렇다면 약수와 배수는 어떤 관계가 있을까요?

곱을 이용하여 약수와 배수의 관계를 알아보면 다음과 같습니다.

21을 두 수의 곱으로 나타내면 $21 = 1 \times 21$, $21 = 3 \times 7$이므로
21은 1, 3, 7, 21의 배수이고, 1, 3, 7, 21은 21의 약수입니다.

2의 배수는 2, 4, 6, 8……
3의 배수는 3, 6, 9, 12……
⇨ 어떤 수의 배수에는
   자기 자신이 항상 포함

즉, 어떤 두 수의 곱이 다른 수가 될 때, 어떤 두 수는 다른 수의 약수이고 다른 수는 어떤 두 수의 배수가 된다는 것을 알 수 있습니다.

여기서 약수와 배수의 관계가 어떤 상황에서 나타나는지 알아봅시다. ☐ 안에 알맞은 수를 써넣으시오.

배수를 찾는 방법
3의 배수: 각 자리 숫자의 합이
         3의 배수인 수
4의 배수: 끝의 두 자리 수가
         00이거나 4의 배수인
         수

56개의 귤이 있습니다. 이 귤을 학생들에게 남김없이 똑같이 나누어 주려고 할 때, 한 사람이 받는 귤의 개수를 4의 배수로 하여 나누어 주려면 몇 가지 방법으로 나누어 줄 수 있을까요?

56을 두 수의 곱으로 나타내면 $56 = 1 \times 56$, $56 = 2 \times 28$, $56 = 4 \times 14$, $56 = 7 \times 8$이고,
56의 약수 중 4의 배수는 4, 8, 28, 56입니다.
따라서 56개의 귤을 학생들에게 남김없이 나누어 주려면 ☐, ☐, ☐, ☐ 개씩 나누어 주면 됩니다.

답 ▸ <u>4, 8, 28, 56</u>

풍산자 비법 ✨

$$\blacksquare \times \blacktriangle = \bigstar \Rightarrow \begin{cases} \blacksquare \text{와 } \blacktriangle \text{는 } \bigstar \text{의 약수} \\ \bigstar \text{은 } \blacksquare \text{와 } \blacktriangle \text{의 배수} \end{cases}$$

01 약수의 개수가 가장 많은 수를 찾아 기호를 쓰시오.

> ㉠ 14 　 ㉡ 18 　 ㉢ 27

| 해결 과정 |

㉠ 14의 약수: 1, 2, 7, 14 ⇨ 4개
㉡ 18의 약수: 1, 2, 3, 6, 9, 18 ⇨ 6개
㉢ 27의 약수: 1, 3, 9, 27 ⇨ 4개
따라서 약수의 개수가 가장 많은 것은 [　] 입니다.

02 약수의 개수가 가장 많은 수를 찾아 기호를 쓰시오.

> ㉠ 38 　 ㉡ 45 　 ㉢ 54

| 해결 과정 |

03 두 수가 서로 약수와 배수의 관계인 것의 기호를 쓰시오.

㉠	㉡	㉢
(3, 6)	(9, 28)	(6, 56)

| 해결 과정 |

㉠ $6 \div 3 = 2$
㉡ $28 \div 9 = 3 \cdots 1$
㉢ $56 \div 6 = 9 \cdots 2$
따라서 약수와 배수의 관계인 것은 [　] 입니다.

04 두 수가 서로 약수와 배수의 관계인 것의 기호를 쓰시오.

㉠	㉡	㉢
(7, 34)	(4, 56)	(8, 92)

| 해결 과정 |

05 3의 배수인 것을 찾아 기호를 쓰시오.

㉠	㉡	㉢
123	221	413

| 해결 과정 |

각 자리 숫자의 합이 3의 배수일 때 그 수는 3의 배수입니다.
㉠ 123 ⇨ $1+2+3=6$
㉡ 221 ⇨ $2+2+1=5$
㉢ 413 ⇨ $4+1+3=8$
따라서 3의 배수인 것은 [　] 입니다.

06 3의 배수인 것을 모두 찾아 기호를 쓰시오.

㉠	㉡	㉢
555	519	562

| 해결 과정 |

07 색연필 20개를 학생들에게 남김없이 똑같이 나누어 주려고 합니다. 색연필을 학생들에게 나누어 줄 수 있는 방법은 모두 몇 가지인지 구하시오.

| 문제 이해 |

20개를 똑같이 나누어 준다 ⇨ 20의 약수를 구한다

| 해결 과정 |

20의 약수: 1, 2, 4, 5, 10, 20
따라서 색연필 20개를 학생들에게 남김없이 똑같이 나누어 줄 수 있는 방법은 [   ]가지입니다.

---

08 사탕 18개를 친구들에게 남김없이 똑같이 나누어 주려고 합니다. 사탕을 친구들에게 나누어 줄 수 있는 방법은 모두 몇 가지인지 구하시오.

| 문제 이해 |

18개를 똑같이 나누어 준다 ⇨ _____

| 해결 과정 |

---

09 경훈이는 매일 7쪽씩 동화책을 읽습니다. 6일 동안 동화책을 모두 몇 쪽을 읽었는지 구하시오.

| 문제 이해 |

매일 7쪽씩 읽는다 ⇨ 7의 배수만큼 쪽 수가 늘어난다

| 해결 과정 |

7의 배수: 7, 14, 21, 28, 35, 42……
따라서 6일 동안 [   ]쪽을 읽었습니다.

---

10 장훈이는 매일 3시간씩 농구를 합니다. 12일 동안 농구를 한 시간은 모두 몇 시간인지 구하시오.

| 문제 이해 |

매일 3시간씩 농구를 한다 ⇨ _____

| 해결 과정 |

---

11 3의 배수인 어떤 수가 있습니다. 이 수의 약수를 모두 더하였더니 13이 되었습니다. 어떤 수를 구하시오.

| 문제 이해 |

약수의 합이 13 ⇨ 모든 약수를 더해서 13인지 확인

| 해결 과정 |

3의 약수의 합: $1+3=4$
6의 약수의 합: $1+2+3+6=12$
9의 약수의 합: $1+3+9=13$
따라서 어떤 수는 [   ]입니다.

---

12 2의 배수인 어떤 수가 있습니다. 이 수의 약수를 모두 더하였더니 12가 되었습니다. 어떤 수를 구하시오.

| 문제 이해 |

약수의 합이 12 ⇨ _____

| 해결 과정 |

13 두 수는 서로 약수와 배수의 관계입니다. 50보다 작은 수 중에서 □ 안에 들어갈 수 있는 수는 모두 몇 개인지 구하시오.

$$(\square, 14)$$

| 해결 과정 |

답

14 8의 배수인 어떤 수가 있습니다. 이 수의 약수를 모두 더하였더니 31이 되었습니다. 어떤 수를 구하시오.

| 해결 과정 |

답

15 다음 네 자리 수가 3의 배수일 때, □ 안에 들어갈 수 있는 자연수를 모두 구하시오.

$$17 \square 8$$

| 해결 과정 |

답

16 민규는 한 봉지에 7개씩 들어 있는 사탕을 3봉지 가지고 있습니다. 이 사탕을 친구들에게 남김없이 똑같이 나누어 주려고 합니다. 사탕을 친구들에게 나누어 줄 수 있는 방법은 모두 몇 가지인지 구하시오.

| 해결 과정 |

답

05 공약수와 최대공약수

15의 약수: 1, 3, 5, 15
18의 약수: 1, 2, 3, 6, 9, 18

우리는 앞 단원에서 약수에 대하여 알아보았습니다. 어떤 수를 나누어떨어지게 하는 수를 그 수의 약수라고 하였습니다.

그렇다면 15와 18의 공통인 약수도 있을까요?
1, 3은 15의 약수도 되고 18의 약수도 됩니다. 15와 18의 공통된 약수 1, 3을 15와 18의 **공약수**라고 하며, 공약수 중에서 가장 큰 수인 3을 15와 18의 **최대공약수**라고 합니다.

한편 최대공약수는 다음과 같이 두 가지 방법으로 구할 수 있습니다.

[방법 1] 곱셈식 이용하기	[방법 2] 공약수로 나누기
$15 = 5 \times 3$, $18 = 6 \times 3$ 최대공약수는 3입니다.	$3) \underline{\ 15 \quad 18\ }$ $\quad\quad 5 \quad\ 6$ 최대공약수는 3입니다.

이때 두 수의 공약수는 두 수의 최대공약수의 약수임을 알 수 있습니다.

곱셈식 이용하기

> 두 수를 1이 아닌 가장 작은 수들의 곱으로 나타낸다.
>
> ▼
>
> (두 수의 최대공약수)
> =(공통으로 들어 있는 수들의 곱)

여기서 최대공약수가 어떤 상황에서 나타나는지 알아봅시다. ☐ 안에 알맞은 수를 써넣으시오.

> 사과 15개와 딸기 40개를 될 수 있는 대로 많은 접시에 남김없이 똑같이 나누어 담으려고 합니다. 필요한 접시는 몇 개일까요?

'될 수 있는 대로 많은 접시의 수'를 구해야 하므로 최대공약수를 이용합니다.

$15 = 3 \times 5$, $40 = 2 \times 2 \times 2 \times 5$ $5) \underline{\ 15 \quad 40\ }$ 최대공약수는 5
        최대공약수는 5 $3 \quad\ 8$

따라서 사과 15개를 ☐ 접시에 ☐ 개씩 담고, 딸기 40개를 ☐ 접시에 ☐ 개씩 담으면 됩니다.

답 5, 3, 5, 8

공약수로 나누기

> 두 수를 1이 아닌 공약수로 나눈다.
>
> ▼
>
> (두 수의 최대공약수)
> =(나눈 수들의 곱)

풍산자 비법

❶ 곱셈식을 이용하여 최대공약수 구하기

곱셈식에 공통으로 들어 있는 가장 큰 수인
★이 최대공약수이다.

❷ 공약수로 나누어 최대공약수 구하기

두 수를 나눌 수 있는 가장 큰 수인
★이 최대공약수이다.

01 두 수의 공약수 중에서 가장 큰 수를 구하시오.

> **02** 두 수의 공약수 중에서 가장 큰 수를 구하시오.

36, 48

24, 32

| 해결 과정 |

36의 약수: 1, 2, 3, 4, 6, 9, 12, 18, 36
48의 약수: 1, 2, 3, 4, 6, 8, 12, 16, 24, 48
따라서 공약수는 1, 2, 3, 4, 6, 12이고
이 중에서 가장 큰 수는 ☐ 입니다.

| 해결 과정 |

03 30과 45의 최대공약수를 곱셈식을 이용하여 구하시오.

> **04** 70과 126의 최대공약수를 곱셈식을 이용하여 구하시오.

| 해결 과정 |

$30 = 3 \times 10 = 3 \times 2 \times 5$
$45 = 3 \times 15 = 3 \times 3 \times 5$
두 수의 최대공약수는 $3 \times 5 =$ ☐ 입니다.

| 해결 과정 |

05 24와 40의 최대공약수를 공약수로 나누어 구하시오.

> **06** 36과 54의 최대공약수를 공약수로 나누어 구하시오.

| 해결 과정 |

$$
\begin{array}{r}
2\,)\underline{\,24\quad 40\,} \\
2\,)\underline{\,12\quad 20\,} \\
2\,)\underline{\,6\quad 10\,} \\
3\quad 5
\end{array}
$$
두 수의 최대공약는 $2 \times 2 \times 2 =$ ☐ 입니다.

| 해결 과정 |

따라 푸는 문장제 서술형

07 사과 84개, 배 56개를 될 수 있는 대로 많은 학생에게 남김없이 똑같이 나누어 주려고 합니다. 한 학생이 사과와 배를 각각 몇 개씩 받을 수 있는지 구하시오.

| 문제 이해 |

84개, 56개를 똑같이 나누어 준다 ⇨ 84와 56의 공약수 이용

될 수 있는 대로 많은 ⇨ 최대공약수 이용

| 해결 과정 |

84와 56의 최대공약수는 28이므로
한 학생은 사과를 $84 \div 28 = \boxed{}$ (개),
배를 $56 \div 28 = \boxed{}$ (개)씩 받을 수 있습니다.

08 귤 42개, 딸기 70개를 될 수 있는 대로 많은 학생에게 남김없이 똑같이 나누어 주려고 합니다. 한 학생이 귤과 딸기를 각각 몇 개씩 받을 수 있는지 구하시오.

| 문제 이해 |

42개, 70개를 똑같이 나누어 준다 ⇨ _____

될 수 있는 대로 많은 ⇨ _____

| 해결 과정 |

09 48과 90을 각각 같은 수로 나누었더니 모두 나누어떨어졌습니다. 두 수를 나누는 수 중에서 가장 큰 수를 구하시오.

| 문제 이해 |

48과 90이 나누어떨어진다 ⇨ 48과 90의 공약수 이용

| 해결 과정 |

48과 90의 최대공약수는 6이므로 두 수를 나누는 수 중에서 가장 큰 수는 $\boxed{}$ 입니다.

10 38과 44를 어떤 수로 나누면 나머지가 모두 2입니다. 어떤 수 중에서 가장 큰 수를 구하시오.

| 문제 이해 |

38을 어떤 수로 나누었을 때 나머지가 2
⇨ 나누어떨어지는 수는 _____

44를 어떤 수로 나누었을 때 나머지가 2
⇨ 나누어떨어지는 수는 _____

| 해결 과정 |

11 가로가 20 cm, 세로가 12 cm인 직사각형을 가장 큰 정사각형으로 남김없이 나누어 자르려고 합니다. 모두 몇 개의 정사각형으로 나눌 수 있는지 구하시오.

| 문제 이해 |

정사각형의 한 변의 길이 ⇨ 직사각형의 가로와 세로의 공약수

| 해결 과정 |

12와 20의 최대공약수는 4이므로 가로는 한 변의 길이가 4 cm인 정사각형이 $20 \div 4 = 5$(개), 세로는 한 변의 길이가 4 cm인 정사각형이 $12 \div 4 = 3$(개)로 나누어질 수 있습니다.
따라서 직사각형은 모두 $5 \times 3 = \boxed{}$ (개)의 정사각형으로 나눌 수 있습니다.

12 가로가 45 cm이고 세로가 27 cm인 색종이를 크기가 같은 정사각형 모양으로 남김없이 잘라서 종이학을 접으려고 합니다. 가장 큰 정사각형 모양으로 자를 때 만들 수 있는 종이학은 모두 몇 개인지 구하시오.

| 문제 이해 |

정사각형의 한 변의 길이 ⇨ _____

| 해결 과정 |

13 어떤 두 수의 최대공약수가 28일 때, 이 두 수의 공약수는 모두 몇 개인지 구하시오.

| 해결 과정 |

답

14 어떤 수로 34를 나누면 나머지가 4이고, 50을 나누면 나머지가 2입니다. 어떤 수 중에서 가장 큰 수를 구하시오.

| 해결 과정 |

답

15 할인마트에서 기념 행사로 세제 32개와 휴지 48개를 최대한 많은 사람에게 남김없이 똑같이 나누어 주려고 합니다. 한 사람이 세제와 휴지를 각각 몇 개씩 받을 수 있는지 구하시오.

| 해결 과정 |

답

16 가로가 210 cm, 세로가 120 cm인 직사각형 모양의 벽에 정사각형 모양의 타일을 붙이려고 합니다. 벽에 남는 부분 없이 겹치지 않게 될 수 있는 대로 큰 타일을 붙이려면 모두 몇 개의 타일이 필요한지 구하시오.

| 해결 과정 |

답

공배수와 최소공배수

우리는 앞 단원에서 배수에 대하여 알아보았습니다. 어떤 수를 1배, 2배, 3배……
한 수를 그 수의 배수라고 하였습니다.

6의 배수: 6, 12, 18, 24, 30, 36,
42, 48, 54……
10의 배수: 10, 20, 30, 40, 50,
60, 70, 80, 90……

그렇다면 6과 10의 공통인 배수도 있을까요?

30, 60, 90……은 6의 배수도 되고 10의 배수도 됩니다. 6과 10의 공통된 배수
30, 60, 90……을 6과 10의 **공배수**라고 하며, 공배수 중에서 가장 작은 수인 30을
6과 10의 **최소공배수**라고 합니다.

한편 최소공배수는 다음과 같이 두 가지 방법으로 구할 수 있습니다.

[방법 1] 곱셈식 이용하기	[방법 2] 공약수로 나누기
$6=2\times3$, $10=2\times5$ 최소공배수는 $2\times3\times5=30$입니다.	$2\,)\,\underline{6\quad 10}$ $\quad\ 3\quad\ 5$ 최소공배수는 $2\times3\times5=30$입니다.

이때 두 수의 공배수는 두 수의 최소공배수의 배수임을 알 수 있습니다.

곱셈식 이용하기

두 수를 1이 아닌 가장 작은
수들의 곱으로 나타낸다.

▼

(두 수의 최소공배수)
=(공통으로 들어 있는 수들
의 곱에 나머지 수들을 모
두 곱한 수)

공약수로 나누기

두 수를 1이 아닌 공약수로
나눈다.

▼

(두 수의 최소공배수)
=(나눈 수와 몫의 곱)

여기서 최소공배수가 어떤 상황에서 나타나는지 알아봅시다. ☐ 안에 알맞은 수를
써넣으시오.

> 태이는 8일마다 수영장에 가고, 래이는 20일마다 수영장에 갑니다. 태이와 래이가 오늘 수
> 영장에서 만났다면 며칠 후에 두 사람이 다시 만나게 될까요?

'며칠 후에 두 사람이 만나야 되는지'를 구해야 하므로 최소공배수를 이용합니다.

$8=2\times2\times2$, $20=2\times2\times5$
최소공배수는 $2\times2\times2\times5=40$

$4\,)\,\underline{8\quad 20}$
$\quad\ 2\quad\ 5$
최소공배수는
$4\times2\times5=40$

따라서 태이와 래이는 ☐ 일 후에 다시 만나게 됩니다.

답 40

---

❶ 곱셈식을 이용하여 최소공배수 구하기

공통인 최대공약수와 남은 수를 곱한다.

❷ 최대공약수로 나누어 최소공배수 구하기

최대공약수와 밑에 남은 몫을 모두 곱한다.

따라 푸는 서술형

01 두 수의 공배수 중에서 세 번째로 작은 수를 구하시오.

$$2, 3$$

| 해결 과정 |

2의 배수: 2, 4, 6, 8, 10, 12……
3의 배수: 3, 6, 9, 12, 15, 18……
두 수의 공배수는 6, 12, 18……이므로
세 번째로 작은 수는 [ ] 입니다.

02 두 수의 공배수 중에서 세 번째로 작은 수를 구하시오.

$$5, 6$$

| 해결 과정 |

03 30과 75의 최소공배수를 곱셈식을 이용하여 구하시오.

| 해결 과정 |

$30 = 3 \times 10 = 3 \times 5 \times 2$
$75 = 3 \times 25 = 3 \times 5 \times 5$
두 수의 최소공배수는 $3 \times 5 \times 2 \times 5 =$ [ ] 입니다.

04 28과 42의 최소공배수를 곱셈식을 이용하여 구하시오

| 해결 과정 |

05 8과 14의 최소공배수를 공약수로 나누어 구하시오.

| 해결 과정 |

2) 8 14
    4   7
두 수의 최소공배수는 $2 \times 4 \times 7 =$ [ ] 입니다.

06 6과 15의 최소공배수를 공약수로 나누어 구하시오.

| 해결 과정 |

07 딸기는 6일마다, 오이는 8일마다 물을 주어야 합니다. 오늘 딸기와 오이에 모두 물을 주었다면 오늘로부터 며칠 뒤에 딸기와 오이에 동시에 물을 주어야 하는지 가장 빠른 날부터 3개 쓰시오.

| 문제 이해 |

6일마다, 8일마다 물을 준다 ⇨ 6과 8의 공배수 이용

| 해결 과정 |

6과 8의 공배수는 24, 48, 72⋯⋯이므로 동시에 물을 주어야 하는 가장 빠른 날은 오늘로부터

☐ 일, ☐ 일, ☐ 일 후입니다.

08 미술 교실은 5일마다, 음악 교실은 4일마다 청소를 합니다. 오늘 두 교실을 모두 청소했다면 오늘로부터 며칠 뒤에 두 교실을 동시에 청소해야 하는지 가장 빠른 날부터 3개 쓰시오.

| 문제 이해 |

5일마다, 4일마다 청소한다 ⇨ _____

| 해결 과정 |

09 가로가 18 cm, 세로가 12 cm인 직사각형 모양의 종이를 빈틈없이 겹치지 않게 붙여 가장 작은 정사각형 모양을 만들었습니다. 정사각형 모양의 한 변의 길이를 구하시오.

| 문제 이해 |

정사각형의 한 변의 길이 ⇨ 18과 12의 최소공배수 이용

| 해결 과정 |

18과 12의 최소공배수는 36이므로 만든 정사각형의 한 변의 길이는 ☐ 입니다.

10 11 cm의 노란 리본과 3 cm의 빨간 리본이 있습니다. 노란 리본은 노란 리본끼리, 빨간 리본은 빨간 리본끼리 빈틈없이 겹치지 않게 이어 붙여 길이가 같은 리본을 만들려고 합니다. 만들 수 있는 가장 짧은 리본의 길이를 구하시오.

| 문제 이해 |

가장 짧은 리본의 길이 ⇨ _____

| 해결 과정 |

11 어느 고속버스 터미널에서 경주행은 30분마다, 부산행은 24분마다 버스가 출발한다고 합니다. 오전 7시에 두 버스가 동시에 출발했다면 다음 번에 두 버스가 동시에 출발하는 시각은 오전 몇 시 몇 분인지 구하시오.

| 문제 이해 |

동시에 출발하는 시간 간격 ⇨ 30과 24의 최소공배수 이용

| 해결 과정 |

30과 24의 최소공배수는 120이므로 두 버스는 120분 뒤에 동시에 출발합니다. 따라서 다음에 두 버스가 동시에 출발하는 시각은 오전 ☐ 시 ☐ 분입니다.

12 어느 기차역에서 여수행 기차는 45분마다, 강릉행 기차는 30분마다 출발한다고 합니다. 오전 10시에 두 기차가 동시에 출발했다면 다음 번에 두 기차가 동시에 출발하는 시각은 오전 몇 시 몇 분인지 구하시오.

| 문제 이해 |

동시에 출발하는 시간 간격 ⇨ _____

| 해결 과정 |

13 8과 12의 공배수 중에서 100보다 작은 수는 모두 몇 개인지 구하시오.

| 해결 과정 |

답

14 가로가 18 cm, 세로가 30 cm인 직사각형 모양의 타일을 겹치지 않게 이어 붙여 가장 작은 정사각형 모양을 만들려고 합니다. 타일은 모두 몇 개 필요한지 구하시오.

| 해결 과정 |

답

15 선지는 계단을 3칸씩 오르고 윤제는 계단을 5칸씩 오릅니다. 첫 번째 계단부터 100번째 계단까지 두 사람이 모두 밟고 지나간 계단은 몇 개인지 구하시오.

| 해결 과정 |

답

16 수현이는 6일마다. 진호는 9일마다 수영장에 갑니다. 5월 4일에 수현이와 진호가 함께 수영장에 갔다면 다음 번에 처음으로 함께 수영장에 가는 날을 구하시오.

| 해결 과정 |

답

지금까지 우리는 약수와 배수 를 배웠습니다.

힘들었을 텐데, 잘 풀었어요!

자, 그럼 마지막으로 지금까지 배운 약수와 배수를 모두 이용해서
우리 함께 서술형 문제를 해결해 볼까요?
단계별로 문제를 해결하다 보면 어려운 서술형도 쉬워질 거예요.

□ 안에 알맞은 자연수를 구하시오.

자연수 □는 98의 약수

자연수 □는 7의 배수

□는 10보다 크고 20보다 작은 수

실타래 찾기 ▶

98의 약수 ⇨ 1, 2, 7, 14, 49, 98
7의 배수 ⇨ 7, 14, 21, 28, 35……

실타래 풀기 ▶

단계 1 : 98의 약수를 모두 써보자.

단계 2 : 7의 배수를 모두 써보자.

단계 3 : □는 10보다 크고, 20보다 작아야 한다.

나만의 해설 쓰기 :

정답 :

3

:::

규칙과 대응

07 두 양 사이의 관계

우리는 [수학 4-1] 6단원 규칙찾기에서 다양한 상황에서 규칙을 찾는 방법을 배웠습니다. 도형이 주어진 경우 도형의 개수와 도형이 놓이는 모양을 살펴보면 규칙을 찾을 수 있었습니다.

쌓기나무의 개수가 아래쪽으로 1개, 위쪽으로 1개씩 계단 모양으로 늘어납니다.

그렇다면 규칙이 있는 두 수 사이에서 대응이라는 관계를 알아볼까요?

강아지의 다리는 4개입니다. 강아지의 수와 다리의 수 사이의 대응 관계를 표로 나타내면 다음과 같습니다.

강아지의 수(마리)	1	2	3	4	5
다리의 수(개)	4	8	12	16	20

표를 통해 강아지가 한 마리 늘어날 때마다 다리가 4개씩 늘어나는 대응 관계가 있다는 것을 알 수 있습니다. 이처럼 규칙적인 배열에서 한 양이 변할 때 다른 양이 그에 따라 일정하게 변하는 관계를 대응 관계라고 합니다.

두 양 사이의 대응 관계를 말할 때에는 되도록 두 양을 모두 언급합니다.

여기서 두 양 사이의 대응 관계가 어떤 상황에서 나타나는지 알아봅시다. □ 안에 알맞은 수를 써넣으시오.

> 한 줄에 5개씩 묶여 있는 요구르트가 있습니다. 요구르트 묶음의 수와 요구르트 개수 사이에는 어떤 대응 관계가 있을까요?

요구르트 묶음의 수와 요구르트 개수 사이의 대응 관계를 표로 나타내면 다음과 같습니다.

요구르트 묶음 수(개)	1	2	3	4	5
요구르트 개수(개)	5	10	15	20	25

따라서 대응 관계는 요구르트 개수는 요구르트 묶음 수의 □ 배입니다.　**답** 5

풍산자 비법 　대응 관계 ⇨ 한 양이 변할 때 다른 양이 그에 따라 일정하게 변하는 관계

01 다음 흰 우유의 수와 딸기 우유의 수 사이의 대응 관계를 구하시오.

흰 우유의 수(개)	1	2	3	4
딸기 우유의 수(개)	4	5	6	7

| 해결 과정 |

① 딸기 우유는 흰 우유보다 3개 (많습니다/적습니다).
② 흰 우유는 딸기 우유보다 3개 (많습니다/적습니다).

02 다음 세발자전거의 수와 세발자전거의 바퀴 수 사이의 대응 관계를 구하시오.

세발자전거의 수(대)	1	2	3	4
세발자전거의 바퀴 수(개)	3	6	9	12

| 해결 과정 |

03 고양이와 강아지가 모두 15마리 있습니다. 다음 표를 완성하시오.

고양이의 수(마리)	8	9		11	
강아지의 수(마리)	7		5		3

⇨ 강아지의 수는 ☐ 에서 고양이의 수를 뺀 수와 같습니다.

| 해결 과정 |

고양이의 수와 강아지의 수의 합이 15이므로
9+6=15, 10+5=15, 11+4=15,
12+3=15가 되어야 합니다.

04 꽃병 1개에 장미를 5송이씩 꽂았습니다. 표를 완성하고 ☐ 안에 알맞은 수를 써넣으시오.

꽃병 수(개)	1	2	3	4	5	6
장미 수(송이)	5	10		20		

⇨ 장미 수를 ☐ 로 나누면 꽃병 수와 같습니다.

| 해결 과정 |

05 대응 관계를 보고, 표를 완성하시오.

> 초콜릿은 사탕보다 7개 많습니다.

사탕 수(개)	1	2	3	4	5
초콜릿 수(개)					

| 해결 과정 |

초콜릿은 사탕보다 7개 많습니다. 따라서
사탕이 1개일 때 초콜릿은 8개
사탕이 2개일 때 초콜릿은 9개 ……
사탕이 5개일 때 초콜릿은 12개입니다.

06 대응 관계를 보고, 표를 완성하시오.

> 색연필의 수는 15에서 색종이의 수를 뺀 수와 같습니다.

색종이의 수(장)	2	4	6	8	10
색연필의 수(자루)					

| 해결 과정 |

따라 푸는 문장제 서술형

07 팝콘 한 개는 5000원입니다. 팝콘의 개수와 팝콘의 가격 사이의 대응 관계를 구하시오.

| 문제 이해 |

팝콘을 살 때마다 5000원씩 내야한다
⇨ 팝콘의 가격은 팝콘의 개수에 5000을 곱한다

| 해결 과정 |

팝콘의 가격은 팝콘의 개수에 [   ]을 곱한 것과 같습니다.

08 혜인이는 밤을 30개 가지고 있습니다. 그 중 일부를 먹었습니다. 먹은 밤의 개수와 남은 밤의 개수 사이의 대응 관계를 구하시오.

| 문제 이해 |

밤을 먹었다 ⇨ 남은 밤의 개수는 _____

| 해결 과정 |

09 신문을 반으로 접고 다시 또 반으로 접고 또 반으로 접는 일을 4번 했습니다. 다음 표를 완성하고, 접은 선을 따라 자르면 모두 몇 조각이 되는지 구하시오.

접은 횟수(회)	1	2	3	4	…
조각 수(조각)	2	4	8		…

| 문제 이해 |

신문을 한 번 접고 자른다 ⇨ 2조각이 된다
신문을 두 번 접고 자른다 ⇨ 4조각이 된다

| 해결 과정 |

신문을 한 번씩 더 접을 때마다 전에 생긴 조각의 2배가 됩니다.
따라서 3번 접었을 경우 생기는 조각의 수는 4×2=8, 4번 접었을 경우 생기는 조각의 수는 8×2=[   ](조각)입니다.

10 다음은 수학 시험에서 맞힌 문제 수와 점수를 나타낸 표입니다. 다음 표를 완성하고 24문제를 맞히면 몇 점을 받는지 구하시오.

맞힌 문제 수(개)	20	21	22	23	24
점수(점)	80	84			

| 문제 이해 |

문제와 점수와의 관계 ⇨ _____

| 해결 과정 |

11 올해 아진이의 나이는 11살이고, 동생의 나이는 아진이보다 5살 적습니다. 동생이 13살이 되면 아진이는 몇 살이 되는지 구하시오.

| 문제 이해 |

동생의 나이가 아진이보다 5살 적다
⇨ 동생의 나이는 아진이의 나이에서 5를 뺀 값과 같다

| 해결 과정 |

아진이는 동생보다 나이가 5살 많으므로 동생이 13살이 되면 아진이는 [   ]살이 됩니다.

12 연지는 매달 8000원씩 저축을 합니다. 연지가 1년 동안 빠짐없이 저축한다면 얼마나 모을 수 있는지 구하시오.

| 문제 이해 |

매달 8000원씩 저축한다 ⇨ _____

| 해결 과정 |

13 쿠키 24개를 효진이와 민석이가 나누어 먹으려고 합니다. 민석이가 효진이보다 쿠키를 4개 더 많이 먹었다면 효진이가 먹은 쿠키는 몇 개인지 구하시오.

| 해결 과정 |

답

14 형석이는 이번 주 월요일부터 수학 문제를 풀기 시작하였습니다. 매일 전날 푼 문제 수의 2배를 풀었더니 목요일에는 40문제를 풀었습니다. 형석이가 월요일에 푼 문제는 몇 문제인지 구하시오.

| 해결 과정 |

답

15 과자를 한 묶음에 3개씩 묶어서 1800원에 판매하고 있습니다. 과자를 묶음으로만 판매할 때, 표를 완성하고 10000원으로 과자를 몇 개 살 수 있는지 구하시오.

과자의 수(개)	3	6	9	12	15
과자 값(원)	1800			7200	

| 해결 과정 |

답

16 한 접시에 사탕 5개와 초콜릿 7개씩 담았습니다. 접시에 담은 사탕과 초콜릿이 모두 96개라면 사탕과 초콜릿을 담은 접시는 모두 몇 개인지 구하시오.

| 해결 과정 |

답

대응 관계를 식으로 나타내기

우리는 앞 단원에서 대응 관계에 대해 알아보았습니다. 한 양이 변할 때 다른 양이 그에 따라 일정하게 변하면 이 관계는 대응 관계라고 합니다.

그렇다면 대응 관계를 어떻게 식으로 간단하게 표현할 수 있을까요?
꽃잎이 5장인 꽃이 있습니다. 꽃송이의 수와 꽃잎의 수 사이의 대응 관계를 표로 나타낸 후 식으로 표현해 봅시다.

꽃송이의 수(송이)	1	2	3	4	5
꽃잎의 수(장)	5	10	15	20	25

꽃잎의 수는 꽃송이의 수보다 5배 많습니다. 또한 꽃잎이 5장이면 꽃송이 1개를 만들 수 있습니다. 이러한 대응 관계를 식으로 나타내면,

(꽃송이의 수)×5＝(꽃잎의 수) 또는 (꽃잎의 수)÷5＝(꽃송이의 수)

로 나타낼 수 있습니다. 또한 꽃송이의 수를 ●, 꽃잎의 수를 ▲라 하면

●×5＝▲ 또는 ▲÷5＝●

와 같이 식으로 나타낼 수 있습니다.
즉, 한 양이 변하면 다른 한 양이 그에 따라 일정하게 변하는 대응 관계를 식으로 나타낼 수 있으며, 이때 ●, ▲, ■ 등과 같은 기호를 사용하면 훨씬 편리합니다.

> 같은 두 양의 대응 관계를 나타내는 식이라도 기준이 무엇인가에 따라 표현된 식이 다릅니다. 즉, 한 가지 상황에서 다양한 대응 관계를 찾을 수 있습니다.

여기서 생활 속의 대응 관계를 식으로 나타내 봅시다. ☐ 안에 알맞은 것을 써넣으시오.

1+1 행사로 한 묶음에 2개씩 묶여있는 우유를 사려고 합니다. 묶음의 수와 우유 사이의 대응 관계를 식으로 나타내시오.

우유 묶음의 수와 우유 개수 사이의 대응 관계를 표로 나타내면 다음과 같습니다.

우유 묶음 수(개)	1	2	3	4	5
우유 수(개)	2	4	6	8	10

우유 묶음 수를 ●, 우유 수를 ■라 하면 ■＝☐   **답** 2×●

풍산자 비법 두 양 사이의 대응 관계를 식으로 나타낼 때
➡ 각 양을 ●, ▲, ■ 등과 같은 기호로 표현할 수 있다.

01 다음은 동화책의 수과 소설책의 수 사이의 대응 관계를 나타낸 표입니다. 동화책의 수과 소설책의 수 사이의 대응 관계를 식으로 나타내시오.

동화책의 수(권)	6	7	8	9	10
소설책의 수(권)	12	13	14	15	16

| 해결 과정 |

소설책의 수는 동화책의 수보다 6만큼 큽니다.

(소설책의 수)=(동화책의 수)+ ☐

02 연필의 수와 지우개의 수 사이의 대응 관계를 식으로 나타내시오.

연필의 수(자루)	1	4	7	10
지우개의 수(개)	3	6	9	12

| 해결 과정 |

03 ♣와 ◉ 사이의 대응 관계를 보고 식으로 나타내시오.

♣	8	12	16	20	24
◉	2	3	4	5	6

| 해결 과정 |

◉에 4를 곱하면 ♣가 됩니다.

♣=◉× ☐

04 ♣와 ◉ 사이의 대응 관계를 보고 식으로 나타내시오.

♣	5	6	7	8	9
◉	9	10	11	12	13

| 해결 과정 |

05 사과의 수를 ●, 배의 수를 ★라 할 때 표를 완성하고 ●과 ★의 대응 관계를 식으로 나타내시오.

사과의 수(개)	5	4		2	1
배의 수(개)	11	12	13		15

| 해결 과정 |

사과의 수와 배의 수의 합이 16으로 일정하므로 대응 관계를 식으로 나타내면 ●= ☐ −★
또는 ★= ☐ −●입니다.

06 끈을 자른 횟수를 ●, 도막 수를 ★라고 할 때, 표를 완성하고 ●과 ★의 대응 관계를 식으로 나타내시오.

자른 횟수(회)	1	2	3	4	5
도막 수(도막)	2		4		6

| 해결 과정 |

07 유정이 나이와 서영이 나이 사이의 대응 관계를 나타낸 표입니다. 유정이가 20살일 때 서영이 나이는 몇 살인지 구하시오.

유정 나이(살)	11	12	13	14	⋯
서영 나이(살)	16	17	18	19	⋯

| 문제 이해 |

유정이가 11살일 때 서영이는 16살 ⇨ 나이 차이는 5살

| 해결 과정 |

둘의 나이 차이가 5살이므로 유정이 나이를 ▲, 서영이 나이를 ★라 하면 ★=▲+5입니다.
따라서 유정이가 20살일 때 서영이의 나이는 [   ]살입니다.

08 거미와 다리 수 사이의 대응 관계를 표로 나타낸 것입니다. 거미 다리가 120개일 때 거미는 몇 마리인지 구하시오.

거미 수(마리)	1	2	3	4	5	⋯
다리 수(개)	8	16	24	32	40	⋯

| 문제 이해 |

거미 다리가 8개 ⇨ _____

| 해결 과정 |

09 학생 한 명에게 사탕을 3개씩 나누어 주고 있습니다. 학생 수와 사탕의 수 사이의 대응 관계를 잘못 이야기한 친구를 찾으시오.

> 윤재: 6명의 학생에게는 18개의 사탕을 나누어 주었어.
> 정한: 학생 수를 ★, 사탕 수를 ▲라고 하면 두 양 사이의 대응 관계는 ▲=★÷3이야.

| 문제 이해 |

한 명에게 사탕을 3개씩 나누어 준다
⇨ 나누어 준 사탕은 ×3

| 해결 과정 |

학생 한 명에게 사탕을 3개씩 나누어 주므로 학생 수를 ★, 사탕 수를 ▲라 하면 ▲=★×3 또는 ★=▲÷3입니다. 따라서 학생이 6명이면 사탕은 모두 6×3=18(개)를 나누어 주었습니다.
따라서 잘못 이야기한 친구는 [   ]입니다.

10 진형이는 1분에 계단을 5개씩 오릅니다. 계단을 올라가는데 걸린 시간과 올라간 계단 사이의 대응 관계를 잘못 이야기한 친구를 찾으시오.

> 하윤: 계단 60개를 오르는 데에는 20분이 걸렸을 거야.
> 윤우: 올라간 데 걸린 시간을 ♥, 계단의 수를 ♣라고 하면 두 양 사이의 대응 관계는 ♣=♥×5야.

| 문제 이해 |

1분에 계단을 5개씩 오른다 ⇨ _____

| 해결 과정 |

11 오징어는 한 마리 당 10개의 다리를 가지고 있습니다. 오징어 수를 ●, 다리 수를 ■라 할 때 ●와 ■ 사이의 대응 관계를 식으로 나타내시오.

| 해결 과정 |

답

12 사각형 수와 사각형 변의 수 사이의 대응 관계를 식으로 나타내시오.

| 해결 과정 |

답

13 한 개의 상자 안에 구슬이 7개가 들어 있습니다. 다음 물음에 답하시오.

상자 수(개)	1	2	3	4	5
구슬 수(개)					

(1) 상자 수를 ★, 구슬 수를 ♥라 할 때 ★와 ♥ 사이의 대응 관계를 식으로 나타내시오.

(2) ◉와 ◆ 안에 알맞은 수를 써넣으시오.

> 상자 수가 1개씩 늘어날 때마다 구슬 수는 ◉개씩 늘어납니다. 상자의 수가 7개일 때 구슬은 ◆개입니다.

| 해결 과정 |

답

14 서울의 시각과 방콕의 시각 사이의 대응 관계를 나타낸 표입니다. 다음 물음에 답하시오.

서울	오전 7시 30분	오전 8시		오전 9시
방콕	오전 5시 30분		오전 6시 30분	오전 7시

(1) 서울의 시각과 방콕의 시각 사이의 대응 관계를 식으로 나타내시오.

(2) 서울이 오후 4시 20분일 때 방콕의 시각을 구하시오.

| 해결 과정 |

답

지금까지 우리는 규칙과 대응을 배웠습니다.
힘들었을 텐데, 잘 풀었어요!

자, 그럼 마지막으로 지금까지 배운 규칙과 대응을 모두 이용해서
우리 함께 서술형 문제를 해결해 볼까요?
단계별로 문제를 해결하다 보면 어려운 서술형도 쉬워질 거예요.

> 과자가 있을 때 항상 언니는 동생보다 과자를 1개 적게 먹는다고 합니다. 표를 완성하고, 과자가 11개일 때 언니가 먹는 과자의 수를 구하시오.
>
> | 과자의 수(개) | 1 | 3 | 5 | 7 |
> |---|---|---|---|---|
> | 언니가 먹는 과자의 수(개) | | | | |

실타래 찾기 ▶ 먼저 표를 완성시켜 보자.

실타래 풀기 ▶ **단계 1 :** 언니가 먹는 과자의 수를 □라 해보자.

단계 2 : 동생이 먹는 과자의 수는 □＋1이다.

단계 3 : 과자가 2개 늘어날 때 언니가 먹는 과자는 1개 늘어난다.

나만의 해설 쓰기 :

정답 :

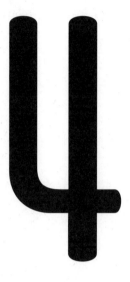

4

:::

약분과 통분

09 크기가 같은 분수

우리는 [수학 3-1] 6단원 분수와 소수에서 주어진 분수만큼 색칠해 보는 활동을 통하여 분수에 대하여 알아보았습니다. $\frac{1}{2}$, $\frac{2}{4}$, $\frac{4}{8}$를 색칠해 보면 오른쪽과 같습니다.

$\frac{1}{2}$, $\frac{2}{4}$, $\frac{4}{8}$

그렇다면 세 분수 $\frac{1}{2}$, $\frac{2}{4}$, $\frac{4}{8}$의 크기를 비교해 보면 어느 분수가 클까요?

위의 그림에서 보는 것과 같이 $\frac{1}{2}$, $\frac{2}{4}$, $\frac{4}{8}$는 분모, 분자는 달라도 그림으로 나타냈을 때 나타내는 양은 같습니다. 이와 같이 그림으로 나타냈을 때 같은 양을 나타내는 분수를 크기가 같은 분수라고 합니다. 크기가 같은 분수는 다음과 같이 두 가지 방법으로 만들 수 있습니다.

> [방법 1] 분모와 분자에 0이 아닌 같은 수를 곱하여 크기가 같은 분수 만들기
> [방법 2] 분모와 분자를 0이 아닌 같은 수로 나누어 크기가 같은 분수 만들기

분모와 분자를 0이 아닌 같은 수로 나눌 때
⇨ 분모와 분자가 모두 나누어떨어져야 하므로 분모와 분자의 공약수로 나누기

여기서 크기가 같은 분수가 어떤 상황에서 나타나는지 알아봅시다. □ 안에 알맞은 수를 써넣으시오.

> 호동이와 수근이에게는 크기가 같은 가래떡이 있습니다. 호동이는 가래떡의 $\frac{5}{6}$를 먹었고 수근이는 가래떡을 18조각으로 나누었습니다. 호동이와 같은 양을 먹으려면 수근이는 18조각 중 몇 조각을 먹어야 할까요?

$\frac{5}{6} = \frac{5 \times 3}{6 \times 3} = \frac{15}{18}$ 이므로 수근이는 18조각 중 □ 조각을 먹어야 합니다.
답 15

풍산자 비법

❶ 분모와 분자에 0이 아닌 같은 수를 곱하여 크기가 같은 분수를 만들 수 있다.

$$\frac{\blacktriangle}{\blacksquare} = \frac{\blacktriangle \times \bigstar}{\blacksquare \times \bigstar}$$

❷ 분모와 분자를 0이 아닌 같은 수로 나누어 크기가 같은 분수를 만들 수 있다.

$$\frac{\blacktriangle}{\blacksquare} = \frac{\blacktriangle \div \bullet}{\blacksquare \div \bullet}$$

따라 푸는 **서술형**

01 그림을 보고 $\frac{3}{4}$ 과 크기가 같고 분모가 12인 분수를 구하시오.

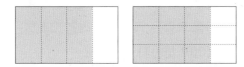

| 해결 과정 |

$$\frac{3}{4} = \frac{3 \times 3}{4 \times 3} = \boxed{}$$

02 그림을 보고 $\frac{4}{16}$ 와 크기가 같고 분모가 4인 분수를 구하시오.

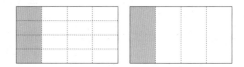

| 해결 과정 |

---

03 주어진 분수와 크기가 같은 분수를 분모가 작은 것부터 3개 구하시오.

$$\frac{4}{9}$$

| 해결 과정 |

$$\frac{4 \times 2}{9 \times 2} = \frac{8}{18}, \ \frac{4 \times 3}{9 \times 3} = \frac{12}{27}, \ \frac{4 \times 4}{9 \times 4} = \frac{16}{36}$$

따라서 $\frac{4}{9}$ 와 크기가 같은 분수는

$\boxed{}$, $\boxed{}$, $\boxed{}$, 입니다.

04 주어진 분수와 크기가 같은 분수를 분모가 작은 것부터 3개 구하시오.

$$\frac{3}{5}$$

| 해결 과정 |

---

05 $\frac{3}{8}$ 과 크기가 같은 분수를 모두 찾으시오.

$$\frac{9}{24} \quad \frac{8}{32} \quad \frac{15}{40} \quad \frac{9}{56} \quad \frac{27}{72}$$

| 해결 과정 |

$$\frac{3 \times 3}{8 \times 3} = \frac{9}{24}, \ \frac{3 \times 4}{8 \times 4} = \frac{12}{32}, \ \frac{3 \times 5}{8 \times 5} = \frac{15}{40},$$

$$\frac{3 \times 7}{8 \times 7} = \frac{21}{56}, \ \frac{3 \times 9}{8 \times 9} = \frac{27}{72}$$

따라서 $\frac{3}{8}$ 과 크기가 같은 분수는

$\boxed{}$, $\boxed{}$, $\boxed{}$ 입니다.

06 $\frac{7}{9}$ 과 크기가 같은 분수를 모두 찾으시오.

$$\frac{11}{18} \quad \frac{21}{27} \quad \frac{24}{36} \quad \frac{56}{81} \quad \frac{77}{99}$$

| 해결 과정 |

따라 푸는 문장제 서술형

07 피자를 4조각으로 나누어 먹으려고 하는데 피자 한 조각이 너무 커서 각 조각을 다시 똑같이 2조각씩 잘랐습니다. 먹게 되는 피자의 양이 $\frac{1}{4}$이 되려면 몇 조각을 먹어야 하는지 구하시오.

| 문제 이해 |

피자 한 조각을 2조각씩 잘랐다 ⇨ 피자는 총 8조각

| 해결 과정 |

$\frac{1}{4} = \frac{1 \times 2}{4 \times 2} = \frac{2}{8}$ 이므로 ☐ 조각을 먹어야 합니다.

08 헨젤은 피자를 똑같이 5조각으로 나누었고 그레텔은 같은 크기의 피자를 똑같이 10조각으로 나누었습니다. 헨젤은 한 조각을 먹었습니다. 헨젤과 같은 양을 먹으려면 그레텔은 몇 조각을 먹어야 하는지 구하시오.

| 문제 이해 |

그레텔이 피자를 10조각으로 나누었다
⇨ 헨젤의 피자 한 조각을 _____ 나눈 것과 같다

| 해결 과정 |

09 진우는 케이크를 똑같이 4조각으로 나누어 한 조각을 먹었고, 아름이는 똑같이 12조각으로 나누어 진우와 같은 양을 먹으려고 합니다. 아름이가 몇 조각을 먹어야 하는지 구하시오.

| 문제 이해 |

진우가 먹은 케이크의 양 ⇨ $\frac{1}{4}$

아름이가 먹어야 하는 양 ⇨ 분자와 분모에 $\times 3$

| 해결 과정 |

$\frac{1 \times 3}{4 \times 3} = \frac{3}{12}$ 이므로 아름이는 ☐ 조각을 먹어야 합니다.

10 다현이는 수박을 7조각 내어 한 조각을 먹었고, 승민이는 같은 크기의 수박을 21조각 내어 다현이와 같은 양을 먹으려고 합니다. 승민이가 수박 몇 조각을 먹어야 하는지 구하시오.

| 문제 이해 |

다현이가 먹은 수박의 양 ⇨ _____

승민이가 먹어야 하는 수박의 양 ⇨ _____

| 해결 과정 |

11 혜원이는 피자를 똑같이 6조각으로 나누어 2조각을 먹었습니다. 경환이는 같은 크기의 피자를 똑같이 3조각으로 나누었습니다. 혜원이와 같은 양을 먹으려면 경환이는 몇 조각을 먹어야 하는지 구하시오.

| 문제 이해 |

혜원이가 먹은 피자의 양 ⇨ $\frac{2}{6}$

경환이가 먹어야 하는 양 ⇨ 분자와 분모에 $\div 2$

| 해결 과정 |

$\frac{2 \div 2}{6 \div 2} = \frac{1}{3}$ 이므로 경환이는 ☐ 조각을 먹어야 합니다.

12 정은이는 호두파이를 똑같이 24조각으로 나누어 6조각을 먹었습니다. 태강이는 같은 크기의 호두파이를 똑같이 8조각으로 나누었습니다. 정은이와 같은 양을 먹으려면 태강이는 몇 조각을 먹어야 하는지 구하시오.

| 문제 이해 |

정은이가 먹은 호두파이의 양 ⇨ _____

태강이가 먹어야 하는 양 ⇨ _____

| 해결 과정 |

13 분모가 20보다 크고 30보다 작은 분수 중에서 $\frac{3}{4}$과 크기가 같은 분수를 모두 구하시오.

| 해결 과정 |

답

14 분모와 분자를 0이 아닌 같은 수로 나누어 $\frac{30}{36}$과 크기가 같은 분수를 모두 구하시오.

| 해결 과정 |

답

15 $\frac{3}{5}$과 크기가 같은 분수 중에서 분모와 분자의 합이 40인 분수를 구하시오.

| 해결 과정 |

답

16 지수와 영미는 똑같은 길이의 색 테이프를 같은 길이만큼 사용했습니다. 지수가 색 테이프의 $\frac{2}{3}$를 사용했다면, 영미는 12조각으로 나눈 색 테이프 중 몇 조각을 사용했는지 구하시오.

| 해결 과정 |

답

10 약분, 통분

우리는 앞 단원에서 분모와 분자를 0이 아닌 같은 수로 나누어 크기가 같은 분수를 만드는 방법을 알아보았습니다.

이때 $\frac{8}{40} = \frac{4}{20}$, $\frac{8}{40} = \frac{2}{10}$, $\frac{8}{40} = \frac{1}{5}$ 과 같이 분수를 분모와 분자의 공약수로 나누어 간단히 하는 것을 **약분한다**고 하고, 분모와 분자의 최대공약수로 나누어 분모와 분자의 공약수가 1뿐인 분수를 **기약분수**라고 합니다.

또한, $\frac{5}{6}$와 $\frac{7}{9}$을 $\frac{15}{18}$와 $\frac{14}{18}$와 같이 분수의 분모를 같게 하는 것을 **통분한다**고 하고, 통분한 분모를 **공통분모**라고 합니다. 통분은 다음과 같이 두 가지 방법으로 할 수 있습니다.

[방법 1] 두 분모의 곱을 공통분모로 하는 통분

$$\left(\frac{5}{6}, \frac{7}{9}\right) \Rightarrow \left(\frac{5\times9}{6\times9}, \frac{7\times6}{9\times6}\right) \Rightarrow \left(\frac{45}{54}, \frac{42}{54}\right)$$

[방법 2] 두 분모의 최소공배수를 공통분모로 하는 통분 (6과 9의 최소공배수는 18)

$$\left(\frac{5}{6}, \frac{7}{9}\right) \Rightarrow \left(\frac{5\times3}{6\times3}, \frac{7\times2}{9\times2}\right) \Rightarrow \left(\frac{15}{18}, \frac{14}{18}\right)$$

여기서 약분, 통분이 어떤 상황에서 나타나는지 알아봅시다. □ 안에 알맞은 것을 써넣으시오.

A와 B는 동일한 크기의 종이를 가지고 있습니다. 종이접기를 하면서 A는 종이의 $\frac{5}{9}$를, B는 $\frac{8}{15}$을 사용하였습니다. 누가 종이를 더 많이 사용하였습니까?

9와 15의 최소공배수는 45이므로 45를 공통분모로 $\frac{5}{9}$와 $\frac{8}{15}$을 통분하면

$$\frac{5}{9} = \frac{5\times5}{9\times5} = \frac{25}{45}, \quad \frac{8}{15} = \frac{8\times3}{15\times3} = \frac{24}{45}$$

따라서 A와 B 중 □ 가 종이를 더 많이 사용하였습니다.

답 A

$$\frac{8}{40} = \frac{8\div2}{40\div2} = \frac{8\div4}{40\div4}$$
$$= \frac{8\div8}{40\div8}$$
$$\Rightarrow \frac{8}{40} = \frac{4}{20} = \frac{2}{10} = \frac{1}{5}$$

약분
⇨ 분모와 분자의 공약수 중 1을 제외한 나머지 수로 분모와 분자를 나누기

$\frac{8}{24}$을 약분 ⇨ $\frac{4}{12}, \frac{2}{6}, \frac{1}{3}$

⇨ 기약분수는 $\frac{1}{3}$

분모가 작을 때
⇨ 두 분모의 곱을 공통분모로하여 통분하면 편리

분모가 클 때
⇨ 두 분모의 최소공배수를 공통분모로 하여 통분하면 편리

공통분모가 될 수 있는 수
⇨ 분모의 공배수

풍산자 비법

❶ 약분 ⇨ 분자와 분모의 공약수로 분자와 분모를 나눈다.

❷ 통분 ⇨ 두 분모의 곱 또는 두 분모의 최소공배수를 공통분모로 한다.

따라 푸는 서술형

01 $\frac{12}{60}$ 를 약분하려고 합니다. 분모와 분자를 나눌 수 있는 수를 모두 구하시오.

| 해결 과정 |

60과 12의 공약수: 1, 2, 3, 4, 6, 12

따라서 $\frac{12}{60}$ 의 분모, 분자를 나눌 수 있는 수는

☐, ☐, ☐, ☐, ☐, ☐ 입니다.

02 $\frac{36}{42}$ 을 약분하려고 합니다. 분모와 분자를 나눌 수 있는 수를 모두 구하시오.

| 해결 과정 |

---

03 기약분수로 나타내시오.

(1) $\frac{12}{16}$

(2) $\frac{18}{30}$

| 해결 과정 |

(1) 분모와 분자를 최대공약수인 4로 나눕니다.

$$\frac{12}{16} = \frac{12 \div 4}{16 \div 4} = \boxed{}$$

(2) 분모와 분자를 최대공약수인 6으로 나눕니다.

$$\frac{18}{30} = \frac{18 \div 6}{30 \div 6} = \boxed{}$$

04 기약분수로 나타내시오.

(1) $\frac{15}{45}$

(2) $\frac{44}{66}$

| 해결 과정 |

---

05 분모의 최소공배수를 공통분모로 하여 통분하시오.

$$\left(\frac{10}{21}, \frac{5}{6} \right)$$

| 해결 과정 |

21과 6의 최소공배수는 42입니다.

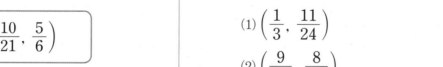

$$\left(\frac{10}{21}, \frac{5}{6} \right) \Rightarrow \left(\frac{10 \times 2}{21 \times 2}, \frac{5 \times 7}{6 \times 7} \right)$$

$$\Rightarrow \left(\boxed{}, \boxed{} \right)$$

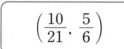

06 분모의 최소공배수를 공통분모로 하여 통분하시오.

(1) $\left(\frac{1}{3}, \frac{11}{24} \right)$

(2) $\left(\frac{9}{10}, \frac{8}{15} \right)$

| 해결 과정 |

따라 푸는 문장제 서술형

07 하민이가 우유를 전체의 $\frac{6}{10}$만큼 마셨다면 남은 우유는 전체의 얼마인지 기약분수로 나타내시오.

| 문제 이해 |

우유의 $\frac{6}{10}$만큼 마심 ⇨ 남은 우유는 $1 - \frac{6}{10}$

| 해결 과정 |

$1 - \frac{6}{10} = \frac{4}{10} = \frac{4 \div 2}{10 \div 2} = \boxed{}$

따라서 남은 우유는 전체의 $\boxed{}$ 입니다.

08 주현이가 미술시간에 철사의 $\frac{4}{12}$만큼 사용하였다면 남은 철사는 전체의 얼마인지 기약분수로 나타내시오.

| 문제 이해 |

철사의 $\frac{4}{12}$만큼 사용 ⇨ 남은 철사는 _____

| 해결 과정 |

09 세희는 $\frac{5}{6}$와 $\frac{7}{8}$을 통분하려고 합니다. 공통분모가 될 수 있는 수를 가장 작은 수부터 2개 쓰시오.

| 문제 이해 |

공통분모가 될 수 있는 수 ⇨ 두 분모의 공배수

| 해결 과정 |

6과 8의 공배수는 24, 48, 72……입니다.
따라서 공통분모가 될 수 있는 수는 $\boxed{}$, $\boxed{}$ 입니다.

10 수미는 $\frac{2}{3}$와 $\frac{4}{7}$를 통분하려고 합니다. 공통분모가 될 수 있는 수를 가장 작은 수부터 3개 쓰시오.

| 문제 이해 |

공통분모가 될 수 있는 수 ⇨ _____

| 해결 과정 |

11 어떤 두 기약분수를 통분하였더니 $\frac{36}{45}$, $\frac{35}{45}$가 되었습니다. 통분하기 전의 두 기약분수를 차례대로 구하시오.

| 문제 이해 |

통분하기 전의 두 기약분수 ⇨ 통분한 두 분수를 각각 약분

| 해결 과정 |

$\frac{36}{45} = \frac{36 \div 9}{45 \div 9} = \frac{4}{5}$

$\frac{35}{45} = \frac{35 \div 5}{45 \div 5} = \frac{7}{9}$

따라서 통분하기 전의 두 기약분수는 $\boxed{}$, $\boxed{}$ 입니다.

12 어떤 두 기약분수를 통분하였더니 $\frac{25}{45}$, $\frac{21}{45}$이 되었습니다. 통분하기 전의 두 기약분수를 차례대로 구하시오.

| 문제 이해 |

통분하기 전의 두 기약분수 ⇨ _____

| 해결 과정 |

13 어느 마을에 똑같은 크기의 밭을 가진 두 형제가 살았습니다. 형은 밭 전체의 $\frac{9}{15}$를 갈았고 동생은 전체의 $\frac{♥}{♠}$를 갈았습니다. 두 형제가 밭을 갈은 부분의 크기가 같을 때, 동생이 갈은 밭은 전체의 얼마인지 기약분수로 나타내시오.

| 해결 과정 |

답

14 $\frac{7}{8}$과 $\frac{7}{12}$을 통분하려고 할 때, 공통분모가 될 수 있는 수를 모두 고르시오.

> 12 24 36 48 72

| 해결 과정 |

답

15 $\frac{21}{56}$과 크기가 같은 분수 중에서 분모가 100에 가장 가까우면서 두 자리 수인 분수를 구하시오.

| 해결 과정 |

답

16 숫자 1, 3, 5, 7 중 두 개를 사용하여 만들 수 있는 진분수 중에서 35를 공통분모로 하여 통분할 수 있는 진분수를 모두 구하시오.

| 해결 과정 |

답

11 분수와 소수의 크기 비교

우리는 [수학 3-1] 6단원 분수와 소수에서 분모가 같은 분수의 크기를 비교하는 방법을 알아보았습니다. 분모가 같은 분수는 분자가 크면 더 큽니다.

그렇다면 $\frac{4}{9}$와 $\frac{7}{12}$과 같이 분모가 다른 두 분수의 크기 비교나 $\frac{2}{5}$와 0.6과 같이 분수와 소수의 크기 비교는 어떻게 할까요?

$\frac{4}{9}$와 $\frac{7}{12}$과 같이 분모가 다른 분수는 통분하여 분모를 같게 한 후 분자의 크기를 비교합니다. 또한, $\frac{2}{5}$와 0.6과 같이 분수와 소수의 크기 비교는 분수를 소수로 나타내어 소수끼리 비교하거나 소수를 분수로 나타내어 분수끼리 비교합니다.

> 분모가 다른 세 분수
> ⇨ 두 분수씩 통분하여 크기 비교
>
> 분모를 10, 100, 1000······으로 바꿀 수 있을 때
> ⇨ 분수를 소수로 나타내어 크기 비교

- $\frac{4}{9}$와 $\frac{7}{12}$의 크기 비교

$\left(\frac{4}{9},\ \frac{7}{12}\right) \Rightarrow \left(\frac{4\times4}{9\times4},\ \frac{7\times3}{12\times3}\right) \Rightarrow \left(\frac{16}{36},\ \frac{21}{36}\right) \Rightarrow \frac{4}{9} < \frac{7}{12}$

- $\frac{2}{5}$와 0.6의 크기 비교

⇨ $\frac{2}{5}=\frac{4}{10}=0.4$이므로 $\frac{2}{5}<0.6$ 또는 $\frac{2}{5}=\frac{4}{10}$, $0.6=\frac{6}{10}$이므로 $\frac{2}{5}<0.6$

여기서 분수와 소수의 크기 비교가 어떤 상황에서 나타나는지 알아봅시다. ☐ 안에 알맞은 것을 써넣으시오.

> 래이는 우유를 0.7 L 마셨고, 태이는 $\frac{5}{7}$ L 마셨습니다. 누가 우유를 더 많이 마셨습니까?

소수를 분수로 나타내어 비교해 보면, $0.7=\frac{7}{10}$이므로

$\left(\frac{7}{10},\ \frac{5}{7}\right) \Rightarrow \left(\frac{7\times7}{10\times7},\ \frac{5\times10}{7\times10}\right) \Rightarrow \left(\frac{49}{70},\ \frac{50}{70}\right) \Rightarrow 0.7<\frac{5}{7}$

따라서 ☐ 가 우유를 더 많이 마셨습니다.

답 태이

풍산자 비법

❶ 분모가 다른 분수의 크기 비교 ⇨ 통분한 후 분자를 비교한다.

❷ 분수와 소수의 크기 비교 ⇨ 분수를 소수로 나타내어 소수끼리 비교하거나 소수를 분수로 나타내어 분수끼리 비교한다.

따라 푸는 **서술형**

01 두 수의 크기를 비교하여 더 큰 수의 기호를 쓰시오.

○ $\frac{3}{8}$ ○ $\frac{4}{7}$

| 해결 과정 |

분수를 통분하여 분모를 같게한 후 비교합니다.

○ $\frac{3}{8} = \frac{3 \times 7}{8 \times 7} = \frac{21}{56}$

○ $\frac{4}{7} = \frac{4 \times 8}{7 \times 8} = \frac{32}{56}$

따라서 더 큰 수는 ☐ 입니다.

---

02 두 수의 크기를 비교하여 더 큰 수의 기호를 쓰시오.

○ $\frac{11}{20}$ ○ $\frac{4}{9}$

| 해결 과정 |

---

03 세 수를 비교하여 가장 큰 수부터 차례대로 나열하시오.

○ 0.68   ○ $\frac{3}{4}$ ○ $\frac{52}{125}$

| 해결 과정 |

○ $\frac{3}{4} = \frac{3 \times 25}{4 \times 25} = \frac{75}{100} = 0.75$

○ $\frac{52}{125} = \frac{52 \times 8}{125 \times 8} = \frac{416}{1000} = 0.416$

따라서 큰 수부터 차례대로 나열하면 ☐ 입니다.

---

04 세 수를 비교하여 가장 작은 수부터 차례대로 나열하시오.

○ 0.53   ○ $\frac{13}{25}$ ○ $\frac{3}{5}$

| 해결 과정 |

---

05 1부터 9까지의 숫자 중에서 ☐ 안에 들어갈 수 있는 가장 큰 수를 구하시오.

$2\frac{3}{4} > 2.\boxed{}8$

| 해결 과정 |

$2\frac{3}{4} = 2 + \frac{3 \times 25}{4 \times 25} = 2 + \frac{75}{100} = 2.75$

소수로 바꾼 두 수의 일의 자리 숫자가 같으므로 소수점 아래 첫 번째 자리 숫자를 비교합니다.

소수점 아래 두 번째 자리 숫자를 비교하면 $5 < 8$이므로 ☐ 안에 들어갈 수 있는 숫자 중 가장 큰 수는 ☐ 입니다.

---

06 1부터 9까지의 숫자 중에서 ☐ 안에 들어갈 수 있는 수를 모두 구하시오.

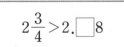

$4\frac{3}{5} < 4.\boxed{}6 < 4\frac{9}{10}$

| 해결 과정 |

따라 푸는 문장제 서술형

07 딸기를 초림이는 $1.26\ \text{kg}$을, 한나는 $1\frac{7}{20}\ \text{kg}$을 먹었습니다. 더 많이 먹은 사람은 누구인지 구하시오.

| 문제 이해 |

분수와 소수의 크기 비교 ⇨ 분수를 소수로 고쳐서 비교

| 해결 과정 |

$1\frac{7}{20}=1\frac{35}{100}=1.35$

따라서 더 많이 먹은 사람은 ☐ 입니다.

08 $100\ \text{m}$ 달리기 기록이 유리는 $16\frac{7}{20}$초, 민선이는 16.195초입니다. 더 빠른 사람은 누구인지 구하시오.

| 문제 이해 |

분수와 소수의 크기 비교 ⇨ _____

| 해결 과정 |

09 크기가 같은 컵이 3개 있습니다. 이 컵에 각각 예림이는 $\frac{2}{3}$, 민서는 $\frac{3}{5}$, 재희는 $\frac{13}{20}$만큼 주스를 따라 마셨습니다. 주스를 가장 적게 마신 사람은 누구인지 구하시오.

| 문제 이해 |

세 분수의 크기 비교 ⇨ 분모를 통분하여 비교

| 해결 과정 |

3과 5의 최소공배수는 15이고, 15와 20의 최소공배수는 60입니다.

$\left(\frac{2}{3},\ \frac{3}{5},\ \frac{13}{20}\right)⇨\left(\frac{40}{60},\ \frac{36}{60},\ \frac{39}{60}\right)$

따라서 가장 적게 마신 사람은 ☐ 입니다.

10 크기가 같은 피자를 지수는 $\frac{3}{4}$, 영미는 $\frac{5}{6}$, 나리는 $\frac{7}{12}$만큼 먹었습니다. 피자를 가장 많이 먹은 사람은 누구인지 구하시오.

| 문제 이해 |

세 분수의 크기 비교 ⇨ _____

| 해결 과정 |

11 A자동차는 $1\ \text{km}$를 달리는 데 휘발유가 $0.14\ \text{L}$ 필요하고 B자동차는 $1\ \text{km}$를 달리는 데 휘발유가 $\frac{4}{25}\ \text{L}$ 필요합니다. 같은 거리를 이동할 때 휘발유가 더 적게 필요한 자동차는 무엇인지 구하시오.

| 문제 이해 |

분수와 소수의 크기 비교 ⇨ 분수를 소수로 고쳐서 비교

| 해결 과정 |

$\frac{4}{25}=\frac{4\times4}{25\times4}=\frac{16}{100}=0.16$

따라서 휘발유가 더 적게 필요한 자동차는 ☐ 입니다.

12 물이 10분에 $36.74\ \text{L}$씩 흘러나오는 수도 A가 있고 10분에 $36\frac{9}{25}\ \text{L}$씩 흘러나오는 수도 B가 있습니다. 두 수도 중에서 같은 시간 동안 더 많은 물을 흘려 보내는 수도는 무엇인지 구하시오.

| 문제 이해 |

분수와 소수의 크기 비교 ⇨ _____

| 해결 과정 |

13 사과 한 상자의 무게는 4.36 kg, 한라봉 한 상자의 무게는 $4\frac{8}{25}$ kg, 키위 한 상자의 무게는 4.293 kg입니다. 세 상자 중 가장 무거운 상자는 어느 것인지 구하시오.

| 해결 과정 |

답

14 재희네 집에서 학교까지의 거리는 $\frac{7}{9}$ km, 도서관까지의 거리는 $\frac{13}{15}$ km, 서점까지의 거리는 $\frac{4}{5}$ km입니다. 재희네 집에서 가장 가까운 곳은 어느 곳인지 구하시오.

| 해결 과정 |

답

15 □ 안에 알맞은 자연수를 모두 구하시오.

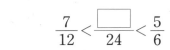

$$\frac{7}{12} < \frac{\boxed{}}{24} < \frac{5}{6}$$

| 해결 과정 |

답

16 □ 안에 들어갈 수 있는 분수 중에서 분모가 25인 분수는 모두 몇 개인지 구하시오.

$$\boxed{} < 0.16$$

| 해결 과정 |

답

지금까지 우리는 약분과 통분을 배웠습니다.

힘들었을 텐데, 잘 풀었어요!

자, 그럼 마지막으로 지금까지 배운 약분과 통분을 모두 이용해서
우리 함께 서술형 문제를 해결해 볼까요?
단계별로 문제를 해결하다 보면 어려운 서술형도 쉬워질 거예요.

□ 안에 들어갈 수 있는 자연수를 모두 구하시오.

$$3.375 < \frac{\square}{4} < 4\frac{3}{16}$$

실타래 찾기 ▶ 주어진 수 3개 중에서 2개가 분수이므로 소수를 분수로 바꾸는 것이 유리하다.

실타래 풀기 ▶ **단계 1 :** 3.375를 분수로 바꾸어 보자.

단계 2 : 3개의 분수를 통분해 보자.

나만의 해설 쓰기 :

정답 :

5

:::

분수의 덧셈과 뺄셈

12 분수의 덧셈 (1)

우리는 [수학 4-2] 1단원 분수의 덧셈과 뺄셈에서 분모가 같은 진분수와 대분수의 덧셈 방법을 알아보았습니다. 분모가 같은 분수의 덧셈은 다음과 같이 계산하였습니다.

$$\frac{2}{5}+\frac{4}{5}=\frac{2+4}{5}=\frac{6}{5}=1\frac{1}{5}, \quad 2\frac{2}{3}+1\frac{2}{3}=(2+1)+\left(\frac{2}{3}+\frac{2}{3}\right)=3+1\frac{1}{3}=4\frac{1}{3}$$

$$2\frac{2}{3}+1\frac{2}{3}=\frac{8}{3}+\frac{5}{3}$$
$$=\frac{13}{3}=4\frac{1}{3}$$

그렇다면 $\frac{1}{6}+\frac{3}{8}$, $2\frac{1}{4}+1\frac{3}{5}$ 과 같이 분모가 다른 진분수와 대분수의 덧셈은 어떻게 계산할까요?

분모가 다른 진분수의 덧셈은 두 분수를 통분하여 분모가 같은 분수로 고친 다음, 분자끼리 더합니다. 또한, 분모가 다른 대분수의 덧셈은 자연수는 자연수끼리, 분수는 분수끼리 더해서 계산하거나 대분수를 가분수로 고쳐서 계산합니다.

분모의 곱을 이용하여 통분
⇨ 공통분모를 구하기 편리
분모의 최소공배수를 이용하여 통분
⇨ 분자끼리의 덧셈이 편리

- 분모가 다른 진분수의 덧셈

$$\frac{1}{6}+\frac{3}{8}=\frac{1\times 8}{6\times 8}+\frac{3\times 6}{8\times 6}=\frac{8}{48}+\frac{18}{48}=\frac{26}{48}=\frac{13}{24}$$

- 분모가 다른 대분수의 덧셈

$$2\frac{1}{4}+1\frac{3}{5}=2\frac{5}{20}+1\frac{12}{20}=(2+1)+\left(\frac{5}{20}+\frac{12}{20}\right)=3+\frac{17}{20}=3\frac{17}{20}$$

$$\frac{1}{6}+\frac{3}{8}=\frac{1\times 4}{6\times 4}+\frac{3\times 3}{8\times 3}$$
$$=\frac{4}{24}+\frac{9}{24}=\frac{13}{24}$$

$$2\frac{1}{4}+1\frac{3}{5}=\frac{9}{4}+\frac{8}{5}$$
$$=\frac{45}{20}+\frac{32}{20}$$
$$=\frac{77}{20}=3\frac{17}{20}$$

여기서 분모가 다른 분수의 덧셈이 어떤 상황에서 나타나는지 알아봅시다. ☐ 안에 알맞은 수를 써넣으시오.

쿠키를 만드는 데 소금 $1\frac{1}{8}$ 큰술과 설탕 $2\frac{1}{2}$ 큰술이 들어갑니다. 쿠키를 만드는 데 들어 가는 소금과 설탕은 모두 몇 큰술입니까?

$$1\frac{1}{8}+2\frac{1}{2}=\frac{9}{8}+\frac{5}{2}=\frac{9}{8}+\frac{20}{8}=\frac{\boxed{}}{8}=3\frac{\boxed{}}{8}(큰술)입니다.$$

답 29, 5

풍산자 비법

❶ 분모가 다른 진분수의 덧셈 ⇨ 분모의 곱이나 분모의 최소공배수로 통분하여 계산한다.

❷ 분모가 다른 대분수의 덧셈 ⇨ 자연수는 자연수끼리, 분수는 분수끼리 더해서 계산하거나 대분수를 가분수로 고쳐서 계산한다.

따라 푸는 서술형

01 그림을 보고 □ 안에 알맞은 수를 써넣으시오.

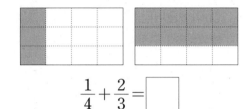

$$\frac{1}{4} + \frac{2}{3} = \boxed{}$$

| 해결 과정 |

$\frac{1}{4} = \frac{3}{12}$, $\frac{2}{3} = \frac{8}{12}$ 이므로

$\frac{1}{4} + \frac{2}{3} = \boxed{}$ 입니다.

02 그림을 보고 □ 안에 알맞은 수를 써넣으시오.

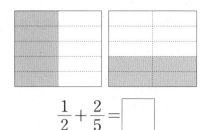

$$\frac{1}{2} + \frac{2}{5} = \boxed{}$$

| 해결 과정 |

03 $\frac{1}{6} + \frac{5}{9}$ 를 두 가지 방법으로 계산하시오.

| 해결 과정 |

[방법 1] 분모의 곱으로 통분하여 계산

$$\frac{1}{6} + \frac{5}{9} = \frac{1 \times 9}{6 \times 9} + \frac{5 \times 6}{9 \times 6}$$
$$= \frac{9}{54} + \frac{30}{54} = \frac{39}{54} = \boxed{}$$

[방법 2] 분모의 최소공배수로 통분하여 계산

$$\frac{1}{6} + \frac{5}{9} = \frac{1 \times 3}{6 \times 3} + \frac{5 \times 2}{9 \times 2}$$
$$= \frac{3}{18} + \frac{10}{18} = \boxed{}$$

04 $\frac{4}{15} + \frac{2}{9}$ 를 두 가지 방법으로 계산하시오.

| 해결 과정 |

05 $\frac{4}{9} + \frac{7}{15}$ 을 계산하시오.

| 해결 과정 |

두 분수를 통분하여 계산하면

$$\frac{4}{9} + \frac{7}{15} = \frac{4 \times 5}{9 \times 5} + \frac{7 \times 3}{15 \times 3} = \frac{20}{45} + \frac{21}{45} = \boxed{}$$

06 다음을 계산하시오.

(1) $\frac{1}{8} + \frac{3}{10}$

(2) $\frac{5}{14} + \frac{1}{6}$

| 해결 과정 |

따라 푸는 문장제 서술형

07 지수는 물 $\frac{5}{6}$ L를 마시고 다시 목이 말라 $\frac{1}{10}$ L의 물을 더 마셨습니다. 지수가 마신 물은 모두 몇 L인지 구하시오.

| 문제 이해 |

마신 물의 전체 양 ⇨ $\frac{5}{6}$와 $\frac{1}{10}$을 더한다

| 해결 과정 |

$$\frac{5}{6}+\frac{1}{10}=\frac{5\times5}{6\times5}+\frac{1\times3}{10\times3}$$
$$=\frac{25}{30}+\frac{3}{30}=\frac{28}{30}=\frac{14}{15}$$

따라서 지수가 마신 물은 모두 [ ] L입니다.

08 다윤이는 물을 $\frac{3}{4}$ 컵 마셨고, 하민이는 물을 $\frac{1}{6}$ 컵 마셨습니다. 두 사람이 마신 물의 양은 모두 몇 컵인지 구하시오.

| 문제 이해 |

마신 물의 전체 양 ⇨ _____

| 해결 과정 |

09 현수는 콩을 하나 사서 심었습니다. 콩나무의 키가 어제는 $2\frac{1}{10}$ m, 오늘은 $1\frac{3}{4}$ m 자랐다면 어제와 오늘 자란 콩나무의 키는 모두 몇 m인지 구하시오.

| 문제 이해 |

어제와 오늘 자란 콩나무의 키 ⇨ $2\frac{1}{10}$과 $1\frac{3}{4}$을 더한다

| 해결 과정 |

$$2\frac{1}{10}+1\frac{3}{4}=2\frac{2}{20}+1\frac{15}{20}$$
$$=(2+1)+\left(\frac{2}{20}+\frac{15}{20}\right)=3\frac{17}{20}$$

따라서 어제와 오늘 자란 콩나무의 키는 [ ] m입니다.

10 진모는 끈을 $\frac{3}{8}$ m 가지고 있고, 희지는 진모보다 $\frac{1}{12}$ m 더 많이 가지고 있습니다. 두 사람이 가지고 있는 끈은 모두 몇 m인지 구하시오.

| 문제 이해 |

희지가 가진 끈의 길이 ⇨ _____

| 해결 과정 |

11 다희는 운동을 1시간 10분 동안 하고, 공부를 $1\frac{2}{5}$ 시간 동안 하였습니다. 다희가 운동과 공부를 한 시간은 모두 몇 시간인지 구하시오.

| 문제 이해 |

1시간 10분 ⇨ $1\frac{10}{60}=1\frac{1}{6}$ (시간)

| 해결 과정 |

$$1\frac{1}{6}+1\frac{2}{5}=\frac{7}{6}+\frac{7}{5}=\frac{35}{30}+\frac{42}{30}=\frac{77}{30}=2\frac{17}{30}$$

따라서 다희가 운동과 공부를 한 시간은 모두 [ ] 시간입니다.

12 지선이는 할머니 댁에 가는 데 $\frac{3}{4}$ 시간 동안 버스를 타고, 5분 동안 걸어서 도착했습니다. 지선이가 할머니 댁에 가는 데 걸린 시간은 모두 몇 시간인지 구하시오.

| 문제 이해 |

5분 ⇨ _____

| 해결 과정 |

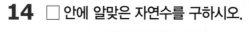
서술형으로 개념정복

13 재희는 할머니 댁에 가는 데 버스를 $\frac{3}{5}$ 시간, 기차를 $2\frac{1}{6}$ 시간 탔습니다. 버스와 기차를 탄 시간은 모두 몇 시간인지 구하시오.

| 해결 과정 |

답

14 ☐ 안에 알맞은 자연수를 구하시오.

$$\frac{4}{9} + \frac{\square}{12} = \frac{17}{18}$$

| 해결 과정 |

답

15 ☐ 안에 들어갈 수 있는 자연수 중에서 가장 큰 수를 구하시오.

$$1\frac{\square}{8} < 1\frac{1}{2} + \frac{1}{4}$$

| 해결 과정 |

답

16 걸리버의 몸을 묶기 위해 소인이 나섰습니다. 처음에는 밧줄 $1\frac{8}{15}$ km를 사용하였으나 밧줄이 모자라서 $1\frac{11}{30}$ km를 더 사용하였습니다. 사용한 밧줄은 모두 몇 km인지 구하시오.

| 해결 과정 |

답

13 분수의 덧셈 (2)

우리는 앞 단원에서 분모가 다른 진분수와 대분수의 덧셈 방법을 알아보았습니다. 앞 단원에서 배운 덧셈은 받아올림이 없는 덧셈이었습니다.

그렇다면 $\dfrac{3}{4}+\dfrac{5}{6}$, $2\dfrac{1}{2}+1\dfrac{2}{3}$와 같이 받아올림이 있는 분모가 다른 진분수와 대분수의 덧셈은 어떻게 계산할까요?

받아올림이 있는 분수의 덧셈도 받아올림이 없는 분수의 덧셈과 마찬가지로 분모가 다른 진분수의 덧셈은 두 분수를 통분하여 분모가 같은 분수로 고친 다음, 분자끼리 더합니다.

또한, 분모가 다른 대분수의 덧셈은 자연수는 자연수끼리, 분수는 분수끼리 더해서 계산하거나 대분수를 가분수로 고쳐서 계산합니다.

• 분모가 다른 진분수의 덧셈

$$\dfrac{3}{4}+\dfrac{5}{6}=\dfrac{3\times6}{4\times6}+\dfrac{5\times4}{6\times4}=\dfrac{18}{24}+\dfrac{20}{24}=1\dfrac{14}{24}=1\dfrac{7}{12}$$

• 분모가 다른 대분수의 덧셈

$$2\dfrac{1}{2}+1\dfrac{2}{3}=2\dfrac{3}{6}+1\dfrac{4}{6}=(2+1)+\left(\dfrac{3}{6}+\dfrac{4}{6}\right)=3+\dfrac{7}{6}=3+1\dfrac{1}{6}=4\dfrac{1}{6}$$

여기서 받아올림이 있는 분모가 다른 분수의 덧셈이 어떤 상황에서 나타나는지 알아봅시다. □ 안에 알맞은 수를 써넣으시오.

집에서 학교까지의 거리는 $2\dfrac{7}{12}$ km이고, 학교에서 도서관까지의 거리는 $1\dfrac{5}{8}$ km입니다.
집에서 학교를 지나 도서관까지 가는 거리는 몇 km입니까?

$2\dfrac{7}{12}+1\dfrac{5}{8}=\dfrac{31}{12}+\dfrac{13}{8}=\dfrac{62}{24}+\dfrac{39}{24}=\dfrac{\square}{24}=4\dfrac{\square}{24}$ (km)입니다.

답 101, 5

옆단 (side column):

$\dfrac{1}{6}+\dfrac{3}{8}=\dfrac{4}{24}+\dfrac{9}{24}=\dfrac{13}{24}$

$2\dfrac{3}{4}+1\dfrac{1}{5}=\dfrac{11}{4}+\dfrac{6}{5}$

$\qquad\qquad=\dfrac{55}{20}+\dfrac{24}{20}$

$\qquad\qquad=\dfrac{79}{20}=3\dfrac{19}{20}$

받아올림이 있는 분수의 덧셈에서 계산 결과가 가분수일 때
⇨ 대분수로 고쳐서 나타내기

$\dfrac{3}{4}+\dfrac{5}{6}=\dfrac{3\times3}{4\times3}+\dfrac{5\times2}{6\times2}$

$\qquad\quad=\dfrac{9}{12}+\dfrac{10}{12}$

$\qquad\quad=\dfrac{19}{12}=1\dfrac{7}{12}$

$2\dfrac{1}{2}+1\dfrac{2}{3}=\dfrac{5}{2}+\dfrac{5}{3}$

$\qquad\qquad=\dfrac{15}{6}+\dfrac{10}{6}$

$\qquad\qquad=\dfrac{25}{6}=4\dfrac{1}{6}$

풍산자 비법

❶ 받아올림이 있는 분모가 다른 진분수의 덧셈
　⇨ 분모의 곱이나 분모의 최소공배수로 통분하여 계산한다.

❷ 받아올림이 있는 분모가 다른 대분수의 덧셈
　⇨ 자연수는 자연수끼리, 분수는 분수끼리 더해서 계산하거나 대분수를 가분수로 고쳐서 계산한다.

01 계산 결과를 비교하여 ○ 안에 >, =, <를 알맞게 써넣으시오.

$$\frac{4}{9} + \frac{5}{6} \bigcirc \frac{7}{18} + \frac{4}{3}$$

| 해결 과정 |

$$\frac{4}{9} + \frac{5}{6} = \frac{8}{18} + \frac{15}{18} = \frac{23}{18} = 1\frac{5}{18}$$

$$\frac{7}{18} + \frac{4}{3} = \frac{7}{18} + \frac{24}{18} = \frac{31}{18} = 1\frac{13}{18}$$

따라서 ○ 안에 알맞은 것은 ☐ 입니다.

02 계산 결과를 비교하여 ○ 안에 >, =, <를 알맞게 써넣으시오.

$$2\frac{3}{4} + 2\frac{5}{6} \bigcirc 1\frac{5}{8} + 3\frac{7}{12}$$

| 해결 과정 |

03 $2\frac{11}{12} + 2\frac{3}{8}$을 가분수로 고쳐 계산하시오.

| 해결 과정 |

$$2\frac{11}{12} + 2\frac{3}{8} = \frac{35}{12} + \frac{19}{8} = \frac{70}{24} + \frac{57}{24}$$

$$= \frac{127}{24} = \boxed{}$$

04 $3\frac{1}{2} + 1\frac{7}{9}$을 가분수로 고쳐 계산하시오.

| 해결 과정 |

05 가장 큰 분수와 가장 작은 분수의 합을 구하시오.

$$2\frac{1}{2} \qquad 1\frac{5}{6} \qquad 3\frac{9}{10}$$

| 해결 과정 |

세 분수의 자연수 부분의 크기를 비교하면

$1 < 2 < 3$이므로 가장 큰 분수는 $3\frac{9}{10}$, 가장 작은 분수는

$1\frac{5}{6}$입니다.

$$3\frac{9}{10} + 1\frac{5}{6} = 3\frac{27}{30} + 1\frac{25}{30} = (3+1) + \left(\frac{27}{30} + \frac{25}{30}\right)$$

$$= 4 + \frac{52}{30} = 4 + 1\frac{22}{30} = 5\frac{22}{30} = \boxed{}$$

06 가장 큰 분수와 가장 작은 분수의 합을 구하시오.

$$1\frac{5}{9} \qquad 4\frac{6}{7} \qquad 6\frac{2}{3}$$

| 해결 과정 |

07 빨간색 리본은 $\frac{7}{9}$ m있고 파란색 리본은 $\frac{5}{12}$ m 있습니다. 두 리본의 길이의 합은 몇 m인지 구하시오.

| 문제 이해 |

두 리본의 길이의 합 ⇨ $\frac{7}{9}$과 $\frac{5}{12}$를 더한다

| 해결 과정 |

$$\frac{7}{9}+\frac{5}{12}=\frac{28}{36}+\frac{15}{36}=\frac{43}{36}=1\frac{7}{36}$$

따라서 리본의 길이의 합은 ☐ m입니다.

---

08 로봇의 무게는 $1\frac{4}{5}$ kg이고 곰 인형의 무게는 $2\frac{7}{12}$ kg입니다. 로봇과 곰 인형의 무게의 합은 몇 kg인지 구하시오.

| 문제 이해 |

무게의 합 ⇨ _____

| 해결 과정 |

---

09 영미는 우유를 어제는 $2\frac{9}{10}$ L, 오늘은 $1\frac{1}{4}$ L 마셨습니다. 영미가 어제와 오늘 마신 우유는 모두 몇 L인지 구하시오.

| 문제 이해 |

어제와 오늘 마신 우유 ⇨ $2\frac{9}{10}$와 $1\frac{1}{4}$을 더한다

| 해결 과정 |

$$2\frac{9}{10}+1\frac{1}{4}=2\frac{18}{20}+1\frac{5}{20}=(2+1)+\left(\frac{18}{20}+\frac{5}{20}\right)$$
$$=3+\frac{23}{20}=3+1\frac{3}{20}=4\frac{3}{20}$$

따라서 영미가 어제와 오늘 마신 우유는 ☐ L입니다.

---

10 영우는 $3\frac{5}{8}$분, 수경이는 $5\frac{1}{2}$분 동안 연을 날렸습니다. 두 사람이 연을 날린 시간은 모두 몇 분인지 구하시오.

| 문제 이해 |

두 사람이 연을 날린 시간 ⇨ _____

| 해결 과정 |

---

11 민지가 운동을 1시간 20분 동안 하고, 공부를 $1\frac{5}{6}$ 시간 동안 하였습니다. 민지가 운동과 공부를 한 시간은 모두 몇 시간인지 구하시오.

| 문제 이해 |

1시간 20분 ⇨ $1\frac{20}{60}=1\frac{2}{6}=1\frac{1}{3}$(시간)

| 해결 과정 |

$$1\frac{1}{3}+1\frac{5}{6}=\frac{4}{3}+\frac{11}{6}=\frac{8}{6}+\frac{11}{6}=\frac{19}{6}=3\frac{1}{6}$$

따라서 민지가 운동과 공부를 한 시간은 모두 ☐ 시간입니다.

---

12 삼장법사와 손오공 일행은 여행을 합니다. 오늘은 말을 타고 $1\frac{6}{7}$시간, 걸어서 12분 이동하여 마을에 도착했습니다. 오늘 마을에 도착하기까지 이동한 시간은 몇 시간인지 구하시오.

| 문제 이해 |

12분 ⇨ _____

| 해결 과정 |

13 계산이 잘못된 이유를 쓰고 바르게 계산하시오.

$$3\frac{8}{15}+1\frac{7}{9}=3\frac{8}{45}+1\frac{7}{45}=4\frac{15}{45}=4\frac{1}{3}$$

| 해결 과정 |

답

14 계산 결과를 비교하여 ○ 안에 >, =, <를 알맞게 써넣으시오.

$$1\frac{2}{3}+1\frac{1}{2} \bigcirc 1\frac{5}{6}+1\frac{1}{3}$$

| 해결 과정 |

답

15 선미는 $2\frac{9}{16}$ L의 물이 들어 있는 물통에 $1\frac{3}{4}$ L의 물을 더 부었습니다. 물통에 들어 있는 물은 모두 몇 L인지 구하시오.

| 해결 과정 |

답

16 은서네 집에서 도서관까지의 거리는 $1\frac{7}{8}$ km이고, 도서관에서 학교까지의 거리는 $1\frac{3}{10}$ km입니다. 은서가 집에서 도서관을 지나 학교까지 가는 거리는 몇 km인지 구하시오.

| 해결 과정 |

답

14 분수의 뺄셈 (1)

우리는 [수학 4-2] 1단원 분수의 덧셈과 뺄셈에서 $\frac{5}{6} - \frac{3}{6}$, $3\frac{4}{5} - 2\frac{2}{5}$와 같이 분모가 같은 진분수와 대분수의 뺄셈 방법을 알아보았습니다. 분모가 같은 분수의 뺄셈은 다음과 같이 계산하였습니다.

$$\frac{5}{6} - \frac{3}{6} = \frac{5-3}{6} = \frac{2}{6} = \frac{1}{3}, \quad 3\frac{4}{5} - 2\frac{2}{5} = (3-2) + \left(\frac{4}{5} - \frac{2}{5}\right) = 1 + \frac{2}{5} = 1\frac{2}{5}$$

$$3\frac{4}{5} - 2\frac{2}{5} = \frac{19}{5} - \frac{12}{5}$$
$$= \frac{7}{5} = 1\frac{2}{5}$$

그렇다면 $\frac{1}{4} - \frac{1}{6}$, $2\frac{5}{8} - 1\frac{1}{6}$과 같이 분모가 다른 진분수와 대분수의 뺄셈은 어떻게 계산할까요?

분모가 다른 진분수의 뺄셈은 두 분수를 통분하여 분모가 같은 분수로 고친 다음, 분자끼리 뺍니다. 또한, 분모가 다른 대분수의 뺄셈은 자연수는 자연수끼리, 분수는 분수끼리 빼서 계산하거나 대분수를 가분수로 고쳐서 계산합니다.

- 분모가 다른 진분수의 뺄셈

$$\frac{1}{4} - \frac{1}{6} = \frac{1 \times 6}{4 \times 6} - \frac{1 \times 4}{6 \times 4} = \frac{6}{24} - \frac{4}{24} = \frac{2}{24} = \frac{1}{12}$$

- 분모가 다른 대분수의 뺄셈

$$2\frac{5}{8} - 1\frac{1}{6} = 2\frac{15}{24} - 1\frac{4}{24} = (2-1) + \left(\frac{15}{24} - \frac{4}{24}\right) = 1 + \frac{11}{24} = 1\frac{11}{24}$$

$$\frac{1}{4} - \frac{1}{6} = \frac{1 \times 3}{4 \times 3} - \frac{1 \times 2}{6 \times 2}$$
$$= \frac{3}{12} - \frac{2}{12} = \frac{1}{12}$$

$$2\frac{5}{8} - 1\frac{1}{6} = \frac{21}{8} - \frac{7}{6}$$
$$= \frac{63}{24} - \frac{28}{24}$$
$$= \frac{35}{24} = 1\frac{11}{24}$$

여기서 분모가 다른 분수의 뺄셈이 어떤 상황에서 나타나는지 알아봅시다. □ 안에 알맞은 수를 써넣으시오.

민후는 우유 $\frac{3}{5}$ L에서 $\frac{4}{15}$ L를 마셨습니다. 남은 우유는 몇 L입니까?

$$\frac{3}{5} - \frac{4}{15} = \frac{3 \times 3}{5 \times 3} - \frac{4}{15} = \frac{9}{15} - \frac{4}{15} = \frac{\boxed{}}{15} = \frac{\boxed{}}{3} \text{(L)입니다.}$$

답 5, 1

풍산자 비법

❶ 분모가 다른 진분수의 뺄셈 ⇨ 분모의 곱이나 분모의 최소공배수로 통분하여 계산한다.

❷ 분모가 다른 대분수의 뺄셈 ⇨ 자연수는 자연수끼리, 분수는 분수끼리 빼서 계산하거나 대분수를 가분수로 고쳐서 계산한다.

따라 푸는 서술형

01 $\dfrac{5}{6}-\dfrac{4}{15}$ 를 계산하시오.

| 해결 과정 |

6과 15의 최소공배수는 30입니다.

$$\dfrac{5}{6}-\dfrac{4}{15}=\dfrac{5\times5}{6\times5}-\dfrac{4\times2}{15\times2}=\dfrac{25}{30}-\dfrac{8}{30}=\boxed{}$$

02 $5\dfrac{5}{6}-3\dfrac{2}{5}$ 를 계산하시오.

| 해결 과정 |

03 계산 결과가 가장 크게 되도록 두 분수를 골라 뺄셈식을 만들고 계산하시오.

| $\dfrac{7}{10}$ | $\dfrac{11}{15}$ | $\dfrac{19}{20}$ |

| 해결 과정 |

가장 큰 수에서 가장 작은 수를 빼면 계산 결과가 가장 큽니다. 주어진 분수를 통분하면

$\dfrac{7}{10}=\dfrac{42}{60}$, $\dfrac{11}{15}=\dfrac{44}{60}$, $\dfrac{19}{20}=\dfrac{57}{60}$ 이므로

가장 큰 분수는 $\dfrac{19}{20}$, 가장 작은 분수는 $\dfrac{7}{10}$ 입니다.

$$\dfrac{19}{20}-\dfrac{7}{10}=\dfrac{19}{20}-\dfrac{14}{20}=\dfrac{5}{20}=\boxed{}$$

04 계산 결과가 가장 크게 되도록 두 분수를 골라 뺄셈식을 만들고 계산하시오.

| $\dfrac{1}{3}$ | $\dfrac{7}{9}$ | $\dfrac{5}{18}$ |

| 해결 과정 |

05 $3\dfrac{5}{8}$ 에서 어떤 수를 뺐더니 $\dfrac{7}{12}$ 이 되었습니다. 어떤 수를 구하시오.

| 해결 과정 |

어떤 수를 ▲라고 하면 $3\dfrac{5}{8}-▲=\dfrac{7}{12}$

$$▲=3\dfrac{5}{8}-\dfrac{7}{12}=3\dfrac{15}{24}-\dfrac{14}{24}=\boxed{}$$

06 어떤 수에 $\dfrac{4}{9}$ 를 더했더니 $2\dfrac{5}{6}$ 이 되었습니다. 어떤 수를 구하시오.

| 해결 과정 |

07 진구는 목장으로 체험학습을 갔습니다. 양에게 주기 위해 준비해 간 먹이 $\frac{7}{10}$ kg 중에서 $\frac{1}{2}$ kg 을 주었다면 남은 먹이는 몇 kg인지 구하시오.

| 문제 이해 |

남은 먹이의 양 ⇨ $\frac{7}{10}$에서 $\frac{1}{2}$을 뺀다

| 해결 과정 |

$$\frac{7}{10} - \frac{1}{2} = \frac{7}{10} - \frac{5}{10} = \frac{2}{10} = \frac{1}{5}$$

따라서 남은 먹이는 ☐ kg입니다.

08 은준이는 길이가 $\frac{5}{6}$ m인 끈을 가지고 있었습니다. 이 중에서 $\frac{3}{4}$ m를 선물을 포장하는데 사용하였다면 남은 끈은 몇 m인지 구하시오.

| 문제 이해 |

남은 끈의 길이 ⇨ _____

| 해결 과정 |

09 영미의 책가방의 무게는 $\frac{8}{15}$ kg이고 지수의 책가방의 무게는 $\frac{9}{20}$ kg입니다. 두 책가방의 무게의 차는 몇 kg인지 구하시오.

| 문제 이해 |

무게의 차 ⇨ 분수를 통분하여 큰 수에서 작은 수를 뺀다

| 해결 과정 |

영미의 책가방: $\frac{8}{15} = \frac{8 \times 4}{15 \times 4} = \frac{32}{60}$

지수의 책가방: $\frac{9}{20} = \frac{9 \times 3}{20 \times 3} = \frac{27}{60}$

따라서 두 책가방의 무게의 차는

$$\frac{32}{60} - \frac{27}{60} = \frac{5}{60} = \boxed{} (kg)입니다.$$

10 주스는 $1\frac{1}{2}$ L있고 우유는 $1\frac{4}{5}$ L 있습니다. 우유와 주스의 차는 몇 L인지 구하시오.

| 문제 이해 |

양의 차이 ⇨ _____

| 해결 과정 |

11 은서는 운동을 $\frac{2}{3}$시간 동안 하였고, 준형이는 은서보다 $\frac{1}{6}$시간 더 적게 하였습니다. 준형이가 운동을 한 시간은 몇 시간인지 구하시오.

| 문제 이해 |

준형이 운동한 시간 ⇨ (은서가 운동한 시간)$-\frac{1}{6}$

| 해결 과정 |

$$\frac{2}{3} - \frac{1}{6} = \frac{4}{6} - \frac{1}{6} = \frac{3}{6} = \frac{1}{2}$$

따라서 준형이가 운동을 한 시간은 ☐ 시간입니다.

12 서영이는 공부를 $\frac{4}{7}$시간 하였고, 연수는 서영이보다 $\frac{1}{3}$시간 더 적게 하였습니다. 연수가 공부를 한 시간은 몇 시간인지 구하시오.

| 문제 이해 |

연수가 공부한 시간 ⇨ _____

| 해결 과정 |

13 두 수의 차를 구하시오.

$$7\frac{7}{12} \qquad 3\frac{1}{3}$$

| 해결 과정 |

답

14 계산 결과가 큰 것부터 차례대로 기호를 쓰시오.

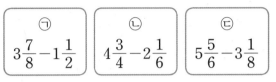

ⓐ $3\frac{7}{8}-1\frac{1}{2}$　　ⓑ $4\frac{3}{4}-2\frac{1}{6}$　　ⓒ $5\frac{5}{6}-3\frac{1}{8}$

| 해결 과정 |

답

15 가로가 $3\frac{4}{5}$ cm이고 세로가 $2\frac{1}{4}$ cm인 직사각형이 있습니다. 가로와 세로의 차는 몇 cm인지 구하시오.

| 해결 과정 |

답

16 어떤 수에서 $1\frac{1}{6}$을 빼야 할 것을 잘못하여 더했더니 $5\frac{3}{8}$이 되었습니다. 바르게 계산한 값을 구하시오.

| 해결 과정 |

답

15 분수의 뺄셈 (2)

우리는 앞 단원에서 $\frac{1}{4}-\frac{1}{6}$, $2\frac{5}{8}-1\frac{1}{6}$과 같이 분모가 다른 진분수와 대분수의 뺄셈 방법을 알아보았습니다. 앞 단원에서 배운 뺄셈은 받아내림이 없는 뺄셈이고, 다음과 같이 계산하였습니다.

- $\frac{1}{4}-\frac{1}{6}=\frac{1\times6}{4\times6}-\frac{1\times4}{6\times4}=\frac{6}{24}-\frac{4}{24}=\frac{2}{24}=\frac{1}{12}$
- $2\frac{5}{8}-1\frac{1}{6}=2\frac{15}{24}-1\frac{4}{24}=(2-1)+\left(\frac{15}{24}-\frac{4}{24}\right)=1\frac{11}{24}$

$\frac{1}{4}-\frac{1}{6}=\frac{1\times3}{4\times3}-\frac{1\times2}{6\times2}$

$=\frac{3}{12}-\frac{2}{12}=\frac{1}{12}$

$2\frac{5}{8}-1\frac{1}{6}=\frac{21}{8}-\frac{7}{6}$

$=\frac{63}{24}-\frac{28}{24}$

$=\frac{35}{24}=1\frac{11}{24}$

그렇다면 $3\frac{1}{2}-1\frac{2}{3}$와 같이 받아내림이 있는 분모가 다른 대분수의 뺄셈은 어떻게 계산할까요?

받아내림이 있는 분모가 다른 대분수의 뺄셈은 자연수는 자연수끼리, 분수는 분수끼리 빼서 계산합니다. 이때 분수 부분의 뺄셈이 되지 않으므로 자연수 부분에서 1을 받아내림하여 계산합니다. 또한, 받아내림이 있는 분모가 다른 대분수의 뺄셈은 대분수를 가분수로 고쳐서 계산합니다.

[방법 1] $3\frac{1}{2}-1\frac{2}{3}=3\frac{3}{6}-1\frac{4}{6}=2\frac{9}{6}-1\frac{4}{6}=(2-1)+\left(\frac{9}{6}-\frac{4}{6}\right)=1\frac{5}{6}$

[방법 2] $3\frac{1}{2}-1\frac{2}{3}=\frac{7}{2}-\frac{5}{3}=\frac{21}{6}-\frac{10}{6}=\frac{11}{6}=1\frac{5}{6}$

여기서 받아내림이 있는 분모가 다른 대분수의 뺄셈이 어떤 상황에서 나타나는지 알아봅시다. ☐ 안에 알맞은 수를 써넣으시오.

페인트가 $3\frac{2}{5}$ L 있습니다. 벽을 칠하는데 페인트가 $1\frac{8}{9}$ L 사용되었다면 남은 페인트는 몇 L 입니까?

$3\frac{2}{5}-1\frac{8}{9}=3\frac{18}{45}-1\frac{40}{45}=2\frac{63}{45}-1\frac{40}{45}=(2-1)+\left(\frac{63}{45}-\frac{40}{45}\right)=1\frac{\boxed{}}{45}$(L)입니다. **답** $\underline{23}$

풍산자 비법 받아내림이 있는 분모가 다른 대분수의 뺄셈에서 분수 부분끼리 뺄 수 없으면
➡ 자연수 부분에서 1을 받아내림하여 계산한다.

01 $4\frac{1}{5}-2\frac{1}{2}$ 을 두 가지 방법으로 계산하시오.

| 해결 과정 |

[방법 1] 자연수는 자연수끼리, 분수는 분수끼리 빼서 계산하기

$$4\frac{1}{5}-2\frac{1}{2}=4\frac{2}{10}-2\frac{5}{10}=3\frac{12}{10}-2\frac{5}{10}$$
$$=(3-2)+\left(\frac{12}{10}-\frac{5}{10}\right)=\boxed{}$$

[방법 2] 가분수로 고쳐서 계산하기

$$4\frac{1}{5}-2\frac{1}{2}=\frac{21}{5}-\frac{5}{2}=\frac{42}{10}-\frac{25}{10}$$
$$=\frac{17}{10}=\boxed{}$$

02 $4\frac{5}{9}-1\frac{11}{18}$ 을 두 가지 방법으로 계산하시오.

| 해결 과정 |

03 계산 결과를 비교하여 ○ 안에 >, =, <를 알맞게 써넣으시오.

$$3\frac{4}{9}-1\frac{3}{4} \bigcirc 6\frac{1}{6}-4\frac{1}{4}$$

| 해결 과정 |

$$3\frac{4}{9}-1\frac{3}{4}=3\frac{16}{36}-1\frac{27}{36}=2\frac{52}{36}-1\frac{27}{36}=1\frac{25}{36}$$
$$6\frac{1}{6}-4\frac{1}{4}=6\frac{2}{12}-4\frac{3}{12}=5\frac{14}{12}-4\frac{3}{12}$$
$$=1\frac{11}{12}=1\frac{33}{36}$$

따라서 ○ 안에 알맞은 것은 $\boxed{}$ 입니다.

04 계산 결과를 비교하여 ○ 안에 >, =, <를 알맞게 써넣으시오.

$$4\frac{1}{2}-1\frac{4}{7} \bigcirc 4\frac{5}{8}-1\frac{4}{5}$$

| 해결 과정 |

05 □ 안에 알맞은 수를 구하시오.

$$4\frac{1}{2}-\boxed{}=2\frac{6}{7}$$

| 해결 과정 |

$4\frac{1}{2}-\boxed{}=2\frac{6}{7}$ 에서

$\boxed{}=4\frac{1}{2}-2\frac{6}{7}=4\frac{7}{14}-2\frac{12}{14}$

$\boxed{}=3\frac{21}{14}-2\frac{12}{14}=\boxed{}$

06 □ 안에 알맞은 수를 구하시오.

$$3\frac{1}{5}-\boxed{}=1\frac{3}{4}$$

| 해결 과정 |

07 물통에 물이 $4\frac{1}{6}$ L 들어 있습니다. 이 중에서 화단에 물을 주는 데 $1\frac{8}{15}$ L를 사용하였다면 남은 물은 몇 L인지 구하시오.

| 문제 이해 |

화단에 물을 주었다 ⇨ $1\frac{8}{15}$ 을 뺀다

| 해결 과정 |

$4\frac{1}{6}-1\frac{8}{15}=4\frac{5}{30}-1\frac{16}{30}=3\frac{35}{30}-1\frac{16}{30}=2\frac{19}{30}$

따라서 남은 물은 ☐ L입니다.

---

08 진호가 그림에 색칠을 하려고 빨간색 물감 $6\frac{2}{5}$ mL 중에서 $2\frac{2}{3}$ mL를 사용하였습니다. 남은 물감은 몇 mL인지 구하시오.

| 문제 이해 |

물감을 사용하였다 ⇨ _____

| 해결 과정 |

---

09 나무꾼이 가지고 있던 약재 $7\frac{1}{8}$ kg 중에서 $4\frac{5}{12}$ kg을 도깨비에게 빼앗겼다면 남은 약재는 몇 kg인지 구하시오.

| 문제 이해 |

약재를 빼앗겼다 ⇨ $4\frac{5}{12}$ 를 뺀다

| 해결 과정 |

$7\frac{1}{8}-4\frac{5}{12}=7\frac{3}{24}-4\frac{10}{24}=6\frac{27}{24}-4\frac{10}{24}=2\frac{17}{24}$

따라서 남은 약재는 ☐ kg입니다.

---

10 미란이는 길이가 $3\frac{3}{10}$ m인 끈을 가지고 있습니다. 그중에서 $2\frac{3}{5}$ m를 잘라 사용했다면 남은 끈의 길이는 몇 m인지 구하시오.

| 문제 이해 |

끈을 잘라 사용했다 ⇨ _____

| 해결 과정 |

---

11 예승이는 라면을 끓이려고 냄비에 물을 $1\frac{3}{7}$ L 넣었습니다. 그런데 물이 많은 것 같아 $\frac{7}{15}$ L 를 덜어내었습니다. 지금 냄비에 들어 있는 물은 몇 L인지 구하시오.

| 문제 이해 |

냄비에 있는 물을 덜어낸다 ⇨ $\frac{7}{15}$ 을 뺀다

| 해결 과정 |

$1\frac{3}{7}-\frac{7}{15}=1\frac{45}{105}-\frac{49}{105}=\frac{150}{105}-\frac{49}{105}=\frac{101}{105}$

따라서 남은 물은 ☐ L입니다.

---

12 수아 어머니께서 배추 $12\frac{1}{6}$ kg을 샀습니다. 이 중에서 $7\frac{3}{10}$ kg을 지수 어머니께 주었다면 남은 배추는 몇 kg인지 구하시오.

| 문제 이해 |

배추를 주었다 ⇨ _____

| 해결 과정 |

---

13 □ 안에 들어갈 알맞은 수를 구하시오.

$$\square + 1\frac{7}{16} = 4\frac{3}{10}$$

| 해결 과정 |

답

14 계산 결과가 작은 것부터 차례대로 기호를 쓰시오.

㉠	㉡	㉢
$5\frac{3}{8} - 1\frac{5}{6}$	$4\frac{7}{10} - 3\frac{4}{5}$	$3\frac{1}{4} - 1\frac{7}{16}$

| 해결 과정 |

답

15 예주의 몸무게는 $43\frac{4}{9}$ kg이고, 아버지의 몸무게는 $72\frac{1}{6}$ kg입니다. 아버지는 예주보다 몇 kg 더 무거운지 구하시오.

| 해결 과정 |

답

16 음료수가 가득 든 병의 무게가 $7\frac{1}{3}$ kg이었습니다. 이 병에서 음료수를 덜어내고 병의 무게를 재었더니 $5\frac{3}{5}$ kg이었습니다. 덜어낸 음료수의 무게는 얼마인지 구하시오.

| 해결 과정 |

답

지금까지 우리는 분수의 덧셈과 뺄셈을 배웠습니다.
힘들었을 텐데, 잘 풀었어요!

자, 그럼 마지막으로 지금까지 배운 분수의 덧셈과 뺄셈을 모두 이용해서
우리 함께 서술형 문제를 해결해 볼까요?
단계별로 문제를 해결하다 보면 어려운 서술형도 쉬워질 거예요.

공이 지면으로부터 2 m 위에 떠있습니다. 공이 한 번 튕길 때마다 올라오는 높이는 떠있는 높이의 절반이 된다고 합니다. 공이 두 번 튕긴 후 땅에 떨어져 멈췄을 때 공이 튕기면서 올라오고 내려간 거리는 총 몇 m인지 구하시오.

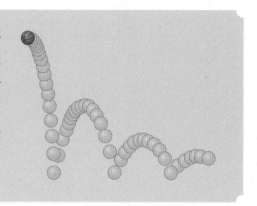

실타래 찾기 ▶ 공은 총 5번 이동한다.

실타래 풀기 ▶ **단계 1:** 한 번 튕겼을 때의 높이를 구해보자.

단계 2: 두 번 튕겼을 때의 높이를 구해보자.

나만의 해설 쓰기 :

정답 :

6

:::

다각형의 둘레와 넓이

16 다각형의 둘레

변의 길이가 모두 같고 각의 크기가 모두 같은 다각형
⇨ 정다각형

우리는 [수학 4-2] 6단원 다각형에서 선분으로만 둘러싸인 도형을 다각형이라 하고, 다각형은 변의 수에 따라 변이 6개이면 육각형, 변이 7개이면 칠각형, 변이 8개이면 팔각형 등으로 부른다는 것을 알아보았습니다.

그렇다면 정다각형이나 사각형의 둘레는 어떻게 구할까요?

정다각형은 모든 변의 길이가 같으므로 정다각형의 둘레는 정다각형의 한 변의 길이를 변의 수만큼 곱해 주면 됩니다.

즉, (정다각형의 둘레)=(한 변의 길이)×(변의 수)입니다.

또한, 사각형의 둘레는 네 변의 길이를 모두 더하면 됩니다.

이때 각 사각형의 성질을 이용하면 다음과 같이 쉽게 구할 수 있습니다.

(직사각형의 둘레)=(가로)×2+(세로)×2={(가로)+(세로)}×2

(평행사변형의 둘레)=(한 변의 길이)×2+(다른 한 변의 길이)×2

　　　　　　　　　={(한 변의 길이)+(다른 한 변의 길이)}×2

(마름모의 둘레)=(한 변의 길이)×4

직사각형
⇨ 마주 보는 변의 길이가 각각 같다

평행사변형
⇨ 마주 보는 변의 길이가 각각 같다

마름모
⇨ 네 변의 길이가 같다

여기서 다각형의 둘레가 어떤 상황에서 나타나는지 알아봅시다. □ 안에 알맞은 수를 써넣으시오.

> 둘레가 22 cm인 직사각형 모양의 색종이가 있습니다. 이 색종이의 가로가 5 cm일 때, 세로는 몇 cm입니까?

직사각형의 둘레는 {(가로)+(세로)}×2이므로 둘레가 22 cm인 직사각형 모양의 색종이의 가로와 세로를 더한 값은 11 cm입니다.

5에 어떤 수를 더하여 11이 되는 수는 ☐ 이므로 직사각형 모양의 색종이의 세로는 ☐ cm입니다.

답 6, 6

풍산자 비법

❶ (정다각형의 둘레)=(한 변의 길이)×(변의 수)

❷ (직사각형의 둘레)={(가로)+(세로)}×2

❸ (평행사변형의 둘레)={(한 변의 길이)+(다른 한 변의 길이)}×2

❹ (마름모의 둘레)=(한 변의 길이)×4

01 직사각형의 둘레가 32 cm일 때 가로를 구하시오.

5 cm

| 해결 과정 |

(직사각형의 둘레)={(가로)+(세로)}×2이므로
32={(가로)+5}×2, (가로)+5=16
따라서 가로는 16-5=⬜(cm)입니다.

02 직사각형의 둘레가 18 cm일 때 세로를 구하시오.

3 cm

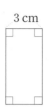

| 해결 과정 |

03 정육각형의 둘레가 42 cm일 때 한 변의 길이를 구하시오.

| 해결 과정 |

(정육각형의 둘레)=(한 변의 길이)×6이므로
42=(한 변의 길이)×6
따라서 정육각형의 한 변의 길이는 ⬜ cm입니다.

04 정팔각형의 둘레가 48 cm일 때 한 변의 길이를 구하시오.

| 해결 과정 |

05 평행사변형의 둘레의 길이가 38 cm일 때 다른 한 변의 길이를 구하시오.

13 cm

| 해결 과정 |

(평행사변형의 둘레)
={(한 변의 길이)+(다른 한 변의 길이)}×2이므로
38={13+(다른 한 변의 길이)}×2,
13+(다른 한 변의 길이)=19
따라서 다른 한 변의 길이는 ⬜ cm입니다.

06 평행사변형의 둘레의 길이가 46 cm일 때 다른 한 변의 길이를 구하시오.

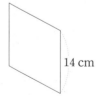

14 cm

| 해결 과정 |

따라 푸는 문장제 서술형

07 지수네 가족은 장미 축제에 갔습니다. 장미 꽃밭은 한 변의 길이가 120 m인 마름모 모양입니다. 장미 꽃밭의 둘레는 몇 m인지 구하시오.

| 문제 이해 |

마름모의 둘레 ⇨ (한 변의 길이)×4

| 해결 과정 |

장미 꽃밭의 둘레는

120×4=□(m)입니다.

08 영미네 가족은 목장으로 체험활동을 갔습니다. 목장은 한 변의 길이가 70 m인 마름모 모양입니다. 목장의 둘레는 몇 m인지 구하시오.

| 문제 이해 |

마름모의 둘레 ⇨ _____

| 해결 과정 |

09 둘레가 60 cm인 정오각형 모양의 색종이가 있습니다. 이 색종이의 한 변의 길이는 몇 cm인지 구하시오.

| 문제 이해 |

정오각형의 둘레 ⇨ (한 변의 길이)×5

| 해결 과정 |

색종이의 한 변의 길이는 (둘레)÷5이므로

60÷5=□(cm)입니다.

10 둘레가 84 cm인 정칠각형 모양의 책상이 있습니다. 이 책상의 한 변의 길이는 몇 cm인지 구하시오.

| 문제 이해 |

정칠각형의 둘레 ⇨ _____

| 해결 과정 |

11 한 변의 길이가 10 cm인 색종이를 겹치지 않게 이어 붙여 만든 도형입니다. 이 도형의 둘레를 구하시오.

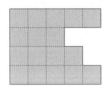

| 문제 이해 |

직각으로 이루어진 도형의 둘레
⇨ 오목한 부분은 평행하게 옮겨 직사각형으로 만든 후 추가되는 변의 길이를 더한다

| 해결 과정 |

가로 50 cm 세로 40 cm인 직사각형의 둘레는
(50+40)×2=180(cm)입니다.
추가되는 변은 20+10+10=40(cm)입니다.
따라서 도형의 둘레는 180+40=□(cm)입니다.

12 한 변의 길이가 20 cm인 색종이를 겹치지 않게 이어 붙여 만든 도형입니다. 이 도형의 둘레를 구하시오.

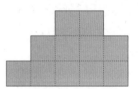

| 문제 이해 |

직각으로 이루어진 도형의 둘레
⇨ _____

| 해결 과정 |

스스로 푸는 서술형

13 직각으로 이루어진 도형의 둘레를 구하시오.

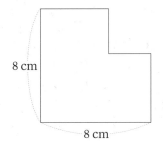

| 해결 과정 |

답

14 직각으로 이루어진 도형의 둘레를 구하시오.

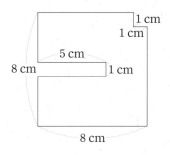

| 해결 과정 |

답

15 직각으로 이루어진 도형의 둘레를 구하시오.

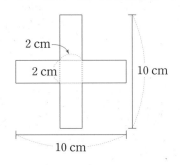

| 해결 과정 |

답

16 지수는 색 테이프로 한 변의 길이가 16 cm, 다른 한 변의 길이가 11 cm인 평행사변형을 만들었습니다. 이 평행사변형을 만든 색 테이프를 모두 사용하여 정육각형을 만들 때, 정육각형의 한 변의 길이를 구하시오.

| 해결 과정 |

답

17 넓이의 단위

우리는 이전 학년에서 길이의 단위로 1 mm, 1 cm, 1 m, 1 km를 알아보았습니다. 이 단위들 사이의 관계는 다음과 같았습니다.

> • 10 mm=1 cm   • 100 cm=1 m   • 1000 m=1 km

그렇다면 넓이의 단위는 어떻게 나타낼까요?

도형의 넓이를 나타낼 때에는 한 변의 길이가 1 cm인 정사각형의 넓이를 넓이의 단위로 사용합니다. 이 정사각형의 넓이를 **1 cm²**라 쓰고 **1 제곱센티미터**라고 읽습니다.

1 cm^2 1 cm^2

cm²보다 더 큰 넓이는 한 변의 길이가 1 m인 정사각형의 넓이를 단위로 사용할 수 있습니다. 이 정사각형의 넓이를 **1 m²**라 쓰고 **1 제곱미터**라고 읽습니다.

1 m^2 1 m^2

또한 m²보다 더 큰 넓이는 한 변의 길이가 1 km인 정사각형의 넓이를 단위로 사용할 수 있습니다. 이 정사각형의 넓이를 **1 km²**라 쓰고 **1 제곱킬로미터**라고 읽습니다.

1 km^2 1 km^2

넓이의 단위들 사이의 관계는 다음과 같습니다.

> • $1 \text{ m}^2 = 10000 \text{ cm}^2$ • $1 \text{ km}^2 = 1000000 \text{ m}^2$

cm² 단위로 나타내면 수가 너무 커질 때
⇨ cm²보다 더 큰 단위인 m² 단위를 사용

m² 단위로 나타내면 수가 너무 커질 때
⇨ m²보다 더 큰 단위인 km² 단위를 사용

1 m^2
⇨ 1 cm^2가 한 줄에 100개씩 100줄

1 km^2
⇨ 1 m^2가 한 줄에 1000개씩 1000줄

여기서 다양한 넓이의 단위가 어떤 상황에서 사용되는지 알아봅시다. 알맞은 넓이 단위를 고르시오.

> (1) 대전광역시의 넓이는 539 (cm², m², km²)입니다.
> (2) 배구 경기장의 넓이는 420 (cm², m², km²)입니다.

답 km^2, m^2

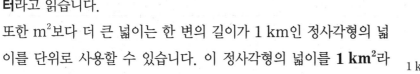

풍산자 비법 $1 \text{ m}^2 = 10000 \text{ cm}^2$ $1 \text{ km}^2 = 1000000 \text{ m}^2$

따라 푸는 서술형

01 크기를 비교하여 ○ 안에 >, =, <를 알맞게 써넣으시오.

$$8 \text{ m}^2 \bigcirc 75000 \text{ cm}^2$$

| 해결 과정 |

$8 \text{ m}^2 = 80000 \text{ cm}^2$이므로
○ 안에 알맞은 것은 ▢ 입니다.

02 크기를 비교하여 ○ 안에 >, =, <를 알맞게 써넣으시오.

$$450000 \text{ m}^2 \bigcirc 45 \text{ km}^2$$

| 해결 과정 |

03 직사각형에 1 m^2가 몇 번 들어가는지 구하시오.

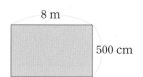

| 해결 과정 |

$500 \text{ cm} = 5 \text{ m}$이므로
한 변의 길이가 1 m인 정사각형이 가로로 8개, 세로로 5개 들어갑니다.
따라서 1 m^2가 $8 \times 5 = $ ▢ (번) 들어갑니다.

04 직사각형에 1 km^2가 몇 번 들어가는지 구하시오.

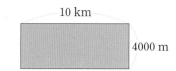

| 해결 과정 |

05 도형의 넓이가 56 cm^2일 때, 정사각형 1개의 넓이를 구하시오.

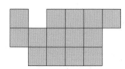

| 해결 과정 |

정사각형 14개의 넓이가 56 cm^2이므로 정사각형 1개의 넓이는 $56 \div 14 = $ ▢ (cm^2)입니다.

06 도형의 넓이가 45 m^2일 때, 정사각형 1개의 넓이를 구하시오.

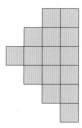

| 해결 과정 |

따라 푸는 문장제 서술형

07 축구장의 넓이를 재려고 합니다. 넓이의 단위 cm^2, m^2, km^2 중에서 알맞은 단위는 무엇인지 설명하시오.

| 문제 이해 |

cm^2보다 크고 km^2보다 작은 경우 ⇨ m^2 사용

| 해결 과정 |

축구장의 넓이를 cm^2로 나타내면 수가 커져서 불편하고, km^2로 나타내면 수가 작아져서 불편합니다.
따라서 축구장의 넓이는 [ ]로 나타내면 알맞습니다.

08 서울과 경기도의 면적을 비교하려고 합니다. 넓이의 단위 cm^2, m^2, km^2 중에서 알맞은 단위는 무엇인지 설명하시오.

| 문제 이해 |

m^2보다 큰 경우 ⇨ _____

| 해결 과정 |

09 가로가 세로의 3배인 판넬이 있습니다. 이 판넬에는 $1\,m^2$가 몇 번 들어가는지 구하시오.

1500 cm

| 문제 이해 |

세로 ⇨ $1500 \div 3 = 500(cm)$

| 해결 과정 |

가로는 $1500\,cm = 15\,m$이고
세로는 $1500 \div 3 = 500$이므로 $500\,cm = 5\,m$입니다.
따라서 $1\,m^2$가 $15 \times 5 = $ [ ](번) 들어갑니다.

10 가로가 세로의 6배인 땅이 있습니다. 이 땅에는 $1\,km^2$가 몇 번 들어가는지 구하시오.

3 km

| 문제 이해 |

가로 ⇨ _____

| 해결 과정 |

11 대한이네 교실에는 가로가 $6\,m$, 세로가 $2\,m$인 직사각형 모양의 게시판이 있습니다. 이 게시판에 가로가 $20\,cm$, 세로가 $20\,cm$인 정사각형 모양의 작품을 붙여서 꾸미려면 작품은 모두 몇 개가 필요한지 구하시오.

| 문제 이해 |

$6\,m$ ⇨ $600\,cm$, $2\,m$ ⇨ $200\,cm$

| 해결 과정 |

게시판의 가로에 작품을 모두 붙이려면
$600 \div 20 = 30(개)$의 작품이 필요합니다.
게시판의 세로에 작품을 모두 붙이려면
$200 \div 20 = 10(개)$의 작품이 필요합니다.
따라서 게시판을 꾸미기 위해서는
$30 \times 10 = $ [ ](개)의 작품이 필요합니다.

12 가로가 $8\,m$, 세로가 $2\,m$인 직사각형 모양의 벽이 있습니다. 이 벽에 가로가 $10\,cm$, 세로가 $10\,cm$인 타일을 붙이려고 할 때 타일은 모두 몇 개가 필요한지 구하시오.

| 문제 이해 |

$8\,m$ ⇨ _____ , $2\,m$ ⇨ _____

| 해결 과정 |

13 다음에서 틀린 부분을 찾고 바르게 고치시오.

> 대전 광역시의 면적은 539 km²입니다.
> 단위를 m²로 바꾸면 5390000 m²와
> 같습니다.

| 해결 과정 |

답

14 다음에서 틀린 부분을 찾고 바르게 고치시오.

> 지수네 텃밭의 넓이는 72000 cm²이고
> 영미네 텃밭의 넓이는 36 m²입니다. 지
> 수네 텃밭이 영미네 텃밭보다 넓습니다.

| 해결 과정 |

답

15 ㉠, ㉡, ㉢의 합을 구하시오.

> 75000000 m² = ㉠ km²
> 2400000 cm² = ㉡ m²
> 7 m² = ㉢ cm²

| 해결 과정 |

답

16 10000 cm² = 1 m²인 이유를 설명하시오.

| 해결 과정 |

답

18 직사각형의 넓이

우리는 앞 단원에서 넓이의 단위를 이용하여 도형의 넓이를 구하는 방법을 알아보았습니다. 넓이의 단위를 이용하여 직사각형과 정사각형의 넓이를 구하면 다음과 같았습니다.

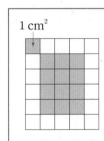

넓이가 1 cm²인 정사각형이 가로로 3개, 세로로 4개 총 3×4=12(개) 있으므로 직사각형의 넓이는 12 cm²이다.

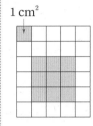

넓이가 1 cm²인 정사각형이 가로로 3개, 세로로 3개 총 3×3=9(개) 있으므로 정사각형의 넓이는 9 cm²이다.

그렇다면 넓이의 단위를 나타내는 정사각형의 개수를 세지 않고 가로, 세로를 이용하여 직사각형의 넓이는 어떻게 구할까요?

직사각형의 넓이는 (가로)×(세로)로 구할 수 있고,

정사각형의 넓이는 (한 변의 길이)×(한 변의 길이)로 구할 수 있습니다.

(정사각형의 넓이)
=(직사각형의 넓이)
=(가로)×(세로)
=(한 변의 길이)×(한 변의 길이)

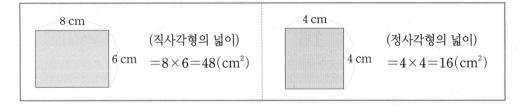

(직사각형의 넓이)
=8×6=48(cm²)

(정사각형의 넓이)
=4×4=16(cm²)

여기서 직사각형의 넓이는 어떤 상황에서 나타나는지 알아봅시다. □ 안에 알맞은 수를 써넣으시오.

직사각형과 정사각형의 넓이
⇨ 직각을 이루는 두 변의 길이의 곱

> 필통의 윗면은 한 변의 길이가 17 cm인 정사각형에서 가로는 4 cm 늘리고, 세로는 4 cm 줄여서 만든 직사각형 모양이라고 합니다. 이 필통의 윗면의 넓이는 몇 cm²입니까?

직사각형의 가로는 17+4=21(cm), 세로는 17−4=13(cm)이므로

필통의 윗면의 넓이는 21×13=☐(cm²)입니다.

답▶ 273

풍산자 비법

❶ (직사각형의 넓이)=(가로)×(세로)

❷ (정사각형의 넓이)=(한 변의 길이)×(한 변의 길이)

01 직사각형의 넓이가 $63 \, \text{cm}^2$일 때 세로를 구하시오.

9 cm

| 해결 과정 |

(직사각형의 넓이)=(가로)×(세로)이므로

$63=9\times$(세로)

따라서 세로는 ☐ cm입니다.

02 정사각형의 넓이가 $81 \, \text{cm}^2$일 때 한 변의 길이를 구하시오.

| 해결 과정 |

03 색칠한 부분의 넓이를 구하시오.

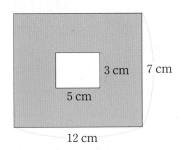

3 cm
7 cm
5 cm
12 cm

| 해결 과정 |

큰 직사각형에서 작은 직사각형의 넓이를 빼면

$12\times7-5\times3=84-15=$ ☐ (cm^2)입니다.

04 색칠한 부분의 넓이를 구하시오.

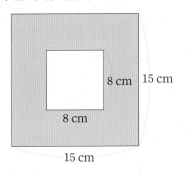

8 cm
15 cm
8 cm
15 cm

| 해결 과정 |

05 색칠한 부분의 넓이를 구하시오.

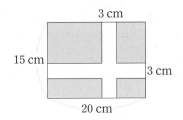

3 cm
15 cm
3 cm
20 cm

| 해결 과정 |

색칠한 부분을 모으면 직사각형이 됩니다. 색칠한 부분을 모은 직사각형의 가로는 $20-3=17(\text{cm})$,

세로는 $15-3=12(\text{cm})$이므로

넓이는 $17\times12=$ ☐ (cm^2)입니다.

06 색칠한 부분의 넓이를 구하시오.

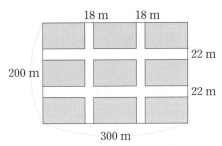

18 m   18 m
22 m
200 m
22 m
300 m

| 해결 과정 |

07 가로가 6 cm, 세로가 10 cm인 큰 직사각형과 가로가 6 cm인 작은 직사각형을 겹치지 않게 이어 붙여 넓이가 102 cm²인 직사각형을 만들었습니다. 작은 직사각형의 세로를 구하시오.

| 문제 이해 |

작은 직사각형의 넓이 ⇨ 102−(큰 직사각형의 넓이)

| 해결 과정 |

(큰 직사각형의 넓이)=6×10=60(cm²)
(작은 직사각형의 넓이)=102−(큰 직사각형의 넓이)
　　　　　　　　　　　=102−60=42(cm²)
즉, 6×(세로)=42(cm²)이므로 세로는 ☐ cm입니다.

---

08 한 변의 길이가 8 cm인 큰 정사각형과 작은 정사각형을 겹치지 않게 이어 붙여 넓이가 113 cm²인 새로운 도형을 만들었습니다. 작은 정사각형의 한 변의 길이를 구하시오.

| 문제 이해 |

작은 정사각형의 넓이 ⇨ _____

| 해결 과정 |

---

09 둘레가 16 cm이고 가로가 세로보다 2 cm 더 긴 직사각형이 있습니다. 이 직사각형의 넓이를 구하시오.

| 문제 이해 |

(가로)+(세로) ⇨ 16÷2, (가로) ⇨ (세로)+2

| 해결 과정 |

(가로)+(세로)=16÷2=8(cm)이고
(가로)=(세로)+2이므로 (세로)+2+(세로)=8에서
(세로)=3(cm)입니다.
따라서 세로는 3 cm, 가로는 5 cm이므로 넓이는
3×5=☐(cm²)입니다.

---

10 둘레가 70 cm이고 세로가 가로보다 5 cm 더 긴 직사각형이 있습니다. 이 직사각형의 넓이를 구하시오.

| 문제 이해 |

(가로)+(세로) ⇨ _____, (세로) ⇨ _____

| 해결 과정 |

---

11 가로가 8 cm, 세로가 6 cm인 직사각형에서 네 변의 길이를 모두 2 cm씩 늘리려고 합니다. 직사각형의 넓이는 몇 cm² 늘어나게 되는지 구하시오.

| 문제 이해 |

새로운 직사각형 ⇨ 가로 8+2(cm), 세로 6+2(cm)

| 해결 과정 |

새로운 직사각형의 가로는 8+2=10(cm),
세로는 6+2=8(cm)이므로
넓이는 10×8=80(cm²)입니다.
따라서 직사각형의 넓이는
80−8×6=80−48=☐(cm²) 늘어나게 됩니다.

---

12 한 변의 길이가 2 cm인 정사각형에서 네 변의 길이를 모두 3 cm씩 늘리려고 합니다. 정사각형의 넓이는 몇 cm² 늘어나게 되는지 구하시오.

| 문제 이해 |

새로운 정사각형의 한 변의 길이 ⇨ _____

| 해결 과정 |

13 모양과 크기가 같은 두 직사각형을 그림과 같이 이어 붙여 하나의 도형을 만들었습니다. 전체 도형의 넓이를 구하시오.

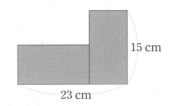

15 cm

23 cm

| 해결 과정 |

답

14 가로가 11 cm, 세로가 19 cm인 직사각형 모양의 종이 5장을 2 cm씩 겹쳐서 이어 붙이려고 합니다. 완성된 직사각형의 넓이를 구하시오.

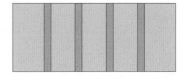

| 해결 과정 |

답

15 색칠한 부분의 넓이를 구하시오.

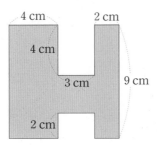

4 cm   2 cm
4 cm
3 cm   9 cm
2 cm

| 해결 과정 |

답

16 도화지에 그림과 같이 가로가 15 cm, 세로가 13 cm인 직사각형 모양의 셀로판지 2장을 붙였습니다. 셀로판지를 붙인 부분의 넓이를 구하시오.

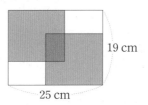

19 cm

25 cm

| 해결 과정 |

답

19 평행사변형과 삼각형의 넓이

우리는 앞 단원에서 직사각형과 정사각형의 넓이 구하는 방법을 알아보았습니다. 직사각형과 정사각형의 넓이는 각각 (가로)×(세로)와 (한 변의 길이)×(한 변의 길이)로 구하였습니다.

그렇다면 평행사변형과 삼각형의 넓이는 어떻게 구할까요?

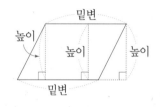

평행사변형에서 평행한 두 변을 **밑변**이라 하고, 두 밑변 사이의 거리를 **높이**라고 합니다.

평행사변형의 넓이는 (밑변의 길이)×(높이)로 구할 수 있습니다.

삼각형의 한 변을 **밑변**이라고 하면, 밑변과 마주 보는 꼭짓점에서 밑변에 수직으로 그은 선분의 길이를 **높이**라고 합니다.

삼각형의 넓이는 (밑변의 길이)×(높이)÷2로 구할 수 있습니다.

밑변은 밑에 있는 변이 아니라 기준이 되는 변
⇨ 밑변에 따라 높이가 달라진다

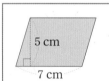

(평행사변형의 넓이)
=7×5=35(cm²)

(삼각형의 넓이)
=9×6÷2=27(cm²)

여기서 평행사변형과 삼각형의 넓이가 같은 경우를 알아봅시다. ☐ 안에 알맞은 것을 써넣으시오.

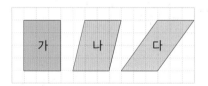

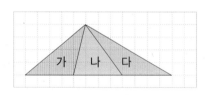

평행사변형 가, 나, 다의 밑변의 길이와 높이가 모두 같으므로 ☐ 가 모두 같습니다.

삼각형 가, 나, 다의 밑변의 길이와 높이가 모두 같으므로 ☐ 가 모두 같습니다.

🔲 답 넓이, 넓이

평행사변형에서 밑변의 길이와 높이가 각각 같으면
⇨ 모양이 달라도 넓이는 같다

삼각형에서 밑변의 길이와 높이가 각각 같으면
⇨ 모양이 달라도 넓이는 같다

풍산자 비법
❶ (평행사변형의 넓이)=(밑변의 길이)×(높이)
❷ (삼각형의 넓이)=(밑변의 길이)×(높이)÷2

따라 푸는 서술형

01 평행사변형의 넓이가 $112\ \mathrm{cm}^2$일 때 □ 안에 알맞은 수를 써넣으시오.

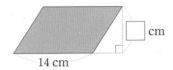

| 해결 과정 |

(평행사변형의 넓이)=(밑변의 길이)×(높이)이므로

$112=14\times$(높이)

따라서 높이는 $112\div14=$ ☐ (cm)입니다.

02 삼각형의 넓이가 $56\ \mathrm{cm}^2$일 때 □ 안에 알맞은 수를 써넣으시오.

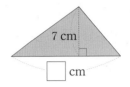

| 해결 과정 |

03 평행사변형에서 □ 안에 알맞은 수를 써넣으시오.

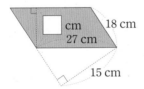

| 해결 과정 |

밑변을 18 cm, 높이를 15 cm로 하면

넓이는 $18\times15=270(\mathrm{cm}^2)$

밑변을 27 cm로 하면

$27\times$(높이)$=270$에서 (높이)$=$ ☐ (cm)입니다.

04 평행사변형에서 □ 안에 알맞은 수를 써넣으시오.

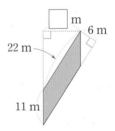

| 해결 과정 |

05 삼각형에서 □ 안에 알맞은 수를 써넣으시오.

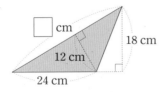

| 해결 과정 |

밑변을 24 cm, 높이를 18 cm로 하면

넓이는 $24\times18\div2=216(\mathrm{cm}^2)$

높이를 12 cm로 하면 (밑변)$\times12\div2=216$이므로

밑변은 $216\times2\div12=$ ☐ (cm)입니다.

06 삼각형에서 □ 안에 알맞은 수를 써넣으시오.

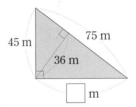

| 해결 과정 |

따라 푸는 문장제 서술형

07 욕실의 한쪽 벽에 밑변의 길이는 4 cm, 높이는 3 cm인 평행사변형 모양의 타일을 겹치지 않게 붙이려고 합니다. 25개의 타일이 사용되었을 때, 타일을 붙인 부분의 넓이를 구하시오.

| 문제 이해 |

타일을 붙인 부분의 넓이 ⇨ (타일 한 개의 넓이)×25

| 해결 과정 |

타일 한 개의 넓이는 4×3=12(cm²)입니다.
따라서 타일을 붙인 부분의 넓이는
12×25=☐(cm²)입니다.

08 도화지에 밑변의 길이는 5 cm, 높이는 4 cm인 삼각형 15개를 겹치지 않게 그렸습니다. 이 삼각형을 모두 색칠할 때, 색칠된 부분의 넓이를 구하시오.

| 문제 이해 |

색칠된 부분의 넓이 ⇨ _____

| 해결 과정 |

09 밑변의 길이는 6000 m, 높이는 4000 m인 평행사변형 모양의 땅을 한 사람에게 1 km²씩 나누어 주려고 합니다. 모두 몇 명에게 땅을 나누어 줄 수 있는지 구하시오.

| 문제 이해 |

1000000 m² ⇨ 1 km²

| 해결 과정 |

땅의 넓이는
6000×4000=24000000(m²)=24(km²)입니다.
따라서 모두 ☐명에게 땅을 나누어 줄 수 있습니다.

10 한쪽 벽면이 밑변의 길이는 800 cm, 높이는 700 cm인 삼각형 모양으로 이루어진 건물이 있습니다. 이 벽면을 1 m²씩 나누어 서로 다른 색으로 칠할 때 모두 몇 가지 색으로 칠할 수 있는지 구하시오.

| 문제 이해 |

10000 cm² ⇨ _____

| 해결 과정 |

11 밑변과 높이의 합이 20 cm인 평행사변형이 있습니다. 밑변이 높이의 3배일 때, 이 평행사변형의 넓이를 구하시오.

| 문제 이해 |

평행사변형의 밑변의 길이 ⇨ (높이)×3

| 해결 과정 |

평행사변형의 밑변의 길이는 (높이)×3이므로
(높이)×3+(높이)=20에서 높이는 5 cm입니다.
따라서 밑변의 길이는 5×3=15(cm)이므로 넓이는
15×5=☐(cm²)입니다.

12 밑변과 높이의 합이 15 cm인 삼각형이 있습니다. 밑변이 높이의 2배일 때, 이 삼각형의 넓이를 구하시오.

| 문제 이해 |

삼각형의 밑변의 길이 ⇨ _____

| 해결 과정 |

13 모눈종이 한 칸의 넓이가 1 cm²일 때 색칠한 부분의 넓이를 구하시오.

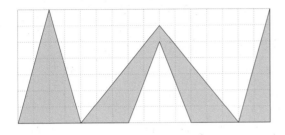

| 해결 과정 |

답

14 평행사변형에서 색칠한 부분의 넓이를 구하시오.

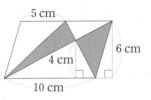

| 해결 과정 |

답

15 평행사변형에서 모양과 크기가 같은 두 직각삼각형을 잘라내고 남은 색칠한 부분의 넓이를 구하시오.

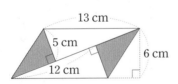

| 해결 과정 |

답

16 두 정사각형을 이어 붙인 도형에서 색칠한 부분의 넓이를 구하시오.

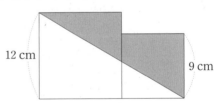

| 해결 과정 |

답

20 마름모와 사다리꼴의 넓이

우리는 앞 단원에서 평행사변형과 삼각형의 넓이 구하는 방법을 알아보았습니다. 평행사변형과 삼각형의 넓이는 각각 (밑변의 길이)×(높이)와 (밑변의 길이)×(높이)÷2로 구하였습니다.

그렇다면 마름모와 사다리꼴의 넓이는 어떻게 구할까요?

마름모의 넓이는 (한 대각선의 길이)×(다른 대각선의 길이)÷2로 구할 수 있습니다.

사다리꼴에서 평행한 두 변을 **밑변**이라 하고, 한 밑변을 **윗변**, 다른 밑변을 **아랫변**이라고 합니다.

이때 두 밑변 사이의 거리를 **높이**라고 합니다.

사다리꼴의 넓이는 {(윗변의 길이)+(아랫변의 길이)}×(높이)÷2로 구할 수 있습니다.

마름모에서 이웃하지 않는 두 점을 이은 선 ⇨ 대각선

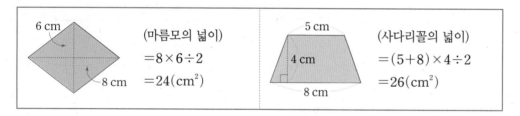

(마름모의 넓이)
$=8×6÷2$
$=24(cm^2)$

(사다리꼴의 넓이)
$=(5+8)×4÷2$
$=26(cm^2)$

여기서 사다리꼴의 넓이가 같은 경우를 알아봅시다. □ 안에 알맞은 것을 써넣으시오.

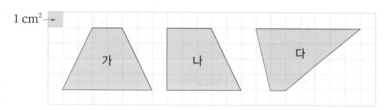

사다리꼴에서 두 밑변의 길이의 합과 높이가 각각 같으면
⇨ 모양이 달라도 넓이는 같다

사다리꼴 가, 나, 다의 윗변의 길이와 아랫변의 길이의 합과 높이는 모두 같으므로 □ 가 모두 같습니다.

답▶ 넓이

풍산자 비법
❶ (마름모의 넓이)=(한 대각선의 길이)×(다른 대각선의 길이)÷2
❷ (사다리꼴의 넓이)={(윗변의 길이)+(아랫변의 길이)}×(높이)÷2

01 마름모의 넓이가 84 cm^2일 때 □ 안에 알맞은 수를 써넣으시오.

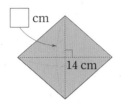

| 해결 과정 |

(마름모의 넓이)
＝(한 대각선의 길이)×(다른 대각선의 길이)÷2이므로
$84=$ □ $\times 14 \div 2$에서
□ $=84 \times 2 \div 14=$ □ (cm)입니다.

02 사다리꼴의 넓이가 30 cm^2일 때, □ 안에 알맞은 수를 써넣으시오.

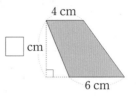

| 해결 과정 |

03 색칠한 부분의 넓이를 구하시오.

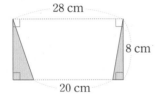

| 해결 과정 |

직사각형의 넓이는 $28 \times 8=224(\text{cm}^2)$
사다리꼴의 넓이는 $(28+20) \times 8 \div 2=192(\text{cm}^2)$
따라서 색칠한 부분의 넓이는
$224-192=$ □ (cm^2)입니다.

04 색칠한 부분의 넓이를 구하시오.

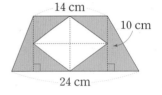

| 해결 과정 |

05 은율이와 윤서는 다음 길이를 두 대각선으로 하는 마름모를 그렸습니다. 어떤 학생이 그린 마름모가 더 넓은지 구하시오.

은율	윤서
20 cm, 15 cm	16 cm, 18 cm

| 해결 과정 |

은율: $20 \times 15 \div 2=150(\text{cm}^2)$
윤서: $16 \times 18 \div 2=144(\text{cm}^2)$
따라서 □ (이)가 그린 마름모의 넓이가 더 넓습니다.

06 경석이와 현지는 사다리꼴을 그렸습니다. 어떤 학생이 그린 사다리꼴이 더 넓은지 구하시오.

경석	현지
윗변 28 cm, 아랫변 40 cm, 높이 12 cm	윗변 45 cm, 아랫변 22 cm, 높이 16 cm

| 해결 과정 |

07 가로가 8 cm, 세로가 7 cm인 직사각형의 각 변의 가운데 점을 네 꼭짓점으로 하는 사각형은 마름모입니다. 이 마름모의 넓이를 구하시오.

| 문제 이해 |

마름모의 대각선의 길이 ⇨ 직사각형의 가로, 세로

| 해결 과정 |

마름모의 대각선의 길이는 각각 8 cm, 7 cm이므로
넓이는 8×7÷2=☐ (cm²)입니다.

08 한 변의 길이가 10 cm인 정사각형의 각 변의 가운데 점을 네 꼭짓점으로 하는 사각형은 마름모입니다. 이 마름모의 넓이를 구하시오.

| 문제 이해 |

마름모의 대각선의 길이 ⇨ _____

| 해결 과정 |

09 윗변의 길이가 13 m이고 아랫변의 길이가 22 m인 사다리꼴 모양의 정원이 있습니다. 이 정원의 넓이가 210 m²일 때, 정원의 높이를 구하시오.

| 문제 이해 |

정원의 높이를 ▲라 하면 ⇨ (13+22)×▲÷2=210

| 해결 과정 |

(13+22)×▲÷2=210에서 35×▲÷2=210
35×▲=210×2=420, ▲=420÷35=12
따라서 정원의 높이는 ☐ m입니다.

10 아랫변의 길이가 15 cm이고 높이가 8 cm인 사다리꼴 모양의 색종이가 있습니다. 이 색종이의 넓이가 88 cm²일 때, 색종이의 윗변의 길이를 구하시오.

| 문제 이해 |

색종이의 윗변의 길이를 ▲라 하면 ⇨ _____

| 해결 과정 |

11 도화지를 잘라 넓이가 같은 사다리꼴과 마름모를 만들었습니다. 사다리꼴은 윗변의 길이가 2 cm, 아랫변의 길이가 4 cm, 높이가 3 cm입니다. 마름모의 한 대각선의 길이는 6 cm일 때 다른 대각선의 길이를 구하시오.

| 문제 이해 |

다른 대각선의 길이를 ▲라 하면
⇨ ▲×6÷2=(2+4)×3÷2

| 해결 과정 |

▲×6÷2=(2+4)×3÷2에서 ▲×6÷2=9
▲×6=9×2=18, ▲=18÷6=3
따라서 다른 대각선의 길이는 ☐ cm입니다.

12 넓이가 같은 사다리꼴과 마름모 모양의 꽃밭을 만들었습니다. 마름모 모양 꽃밭의 두 대각선의 길이는 5 m, 8 m이고, 사다리꼴 모양 꽃밭은 윗변의 길이가 3 m, 아랫변의 길이가 7 m입니다. 사다리꼴 모양 꽃밭의 높이를 구하시오.

| 문제 이해 |

높이를 ▲라 하면 ⇨ _____

| 해결 과정 |

13 직사각형의 각 변의 가운데를 이어 나가 마름모를 만들고, 이 마름모의 각 변의 가운데를 이어 도형을 만들었습니다. 색칠한 도형의 넓이를 구하시오.

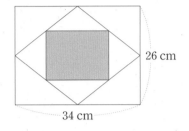

| 해결 과정 |

답

14 윗면과 아랫면이 정사각형이고 옆면은 합동인 4개의 사다리꼴로 이루어진 상자가 있습니다. 이 상자의 겉면을 색칠할 때 색칠할 부분의 넓이를 구하시오.

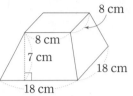

| 해결 과정 |

답

15 사다리꼴에서 마름모를 뺀 색칠한 부분의 넓이를 구하시오.

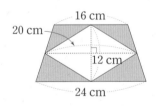

| 해결 과정 |

답

16 사다리꼴의 넓이를 구하시오.

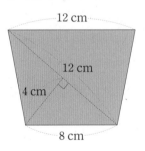

| 해결 과정 |

답

지금까지 우리는 다각형의 둘레와 넓이를 배웠습니다.
힘들었을 텐데, 잘 풀었어요!

자, 그럼 마지막으로 지금까지 배운 다각형의 둘레와 넓이를 모두 이용해서
우리 함께 서술형 문제를 해결해 볼까요?
단계별로 문제를 해결하다 보면 어려운 서술형도 쉬워질 거예요.

한 변의 길이가 9 m인 정사각형 모양의 벽을 가로가 2 m, 세로가 1 m인 직사각형 모양의 타일로 빈틈없이 겹치지 않게 채우려고 합니다.
타일을 이용하여 빈틈없이 겹치지 않게 벽을 채울 수 있는지 또는 채울 수 없는지를 설명하시오.

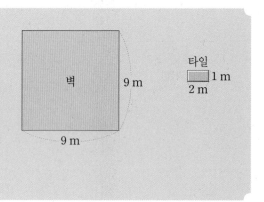

실타래 찾기 ▶ 벽의 넓이와 타일 1개의 넓이를 구한다.

실타래 풀기 ▶ **단계 1:** 타일 40개의 넓이와 벽의 넓이를 비교한다.

단계 2: 타일 41개의 넓이와 벽의 넓이를 비교한다.

나만의 해설 쓰기:

정답:

초등 풍산자로 개념을 적용하고 응용하여
연산, 유형, 서술형을 풀면 실력이 탄탄해집니다

처음 배우는 수학을 쉽게 접근하는 초등 풍산자 로드맵

연산 집중훈련서 ▶ 풍산자 개념X연산   교과 유형학습서 ▶ 풍산자 개념X유형   서술형 집중연습서 ▶ 풍산자 개념X서술형   연산 반복훈련서 ▶ 풍산자 연산

초등 풍산자 교재	하	중하	중	상
연산 집중훈련서 **풍산자 개념X연산**	개념 적용 연산 학습, 기초 실력 완성			
교과 유형학습서 **풍산자 개념X유형**		개념 응용 유형 학습, 기본 실력 완성		
서술형 집중연습서 **풍산자 개념X서술형**		개념 활용 서술형 연습, 문제 해결력 완성		
출시 예정 연산 반복훈련서 **풍산자 연산**	연산만 집중적으로 반복 학습			

풍산자

개념 ✕ 서술형

정답과 풀이

초등 수학

5-1

지학사

풍산자

교과서 속 서술형을 빠르게!

개념 x 서술형

정답과 풀이

초등 수학 5-1

1 ::: 자연수의 혼합 계산

01 덧셈과 뺄셈이 섞여 있는 식

p. 07~09

> **따라 푸는 서술형**

01 =   **02** <   **03** 8

04 24   **05** ㉢   **06** ㉢

> **따라 푸는 문장제 서술형**

07 45   **08** 74개   **09** 110

10 3700원   **11** 56   **12** 53가구

> **스스로 푸는 서술형**

13 37개   **14** ㉡, ㉠, ㉢ **15** ㉡

16 67걸음

02 답 <

$52-(34+12)=52-46=6$

$52-34+12=18+12=30$

따라서 ○ 안에 알맞은 것은 < 입니다.

04 답 24

$16♣12=16-(16-12)+12=16-4+12$
$\qquad =12+12=24$

06 답 ㉢

㉠ $38-27-9=11-9=2$

㉡ $(38-27)-9=11-9=2$

㉢ $38-(27-9)=38-18=20$

따라서 계산 결과가 가장 큰 것은 ㉢입니다.

08 답 74개

| 문제 이해 |

초콜릿 17개를 준다 ⇨ 17을 뺀다

초콜릿 9개를 받는다 ⇨ 9를 더한다

| 해결 과정 |

$82-17+9=65+9=74$

따라서 재민이가 가지고 있는 초콜릿은 모두 74개입니다.

10 답 3700원

| 문제 이해 |

(사용한 돈)$=1200+500$(원)

(남은 돈)$=$(원래 가진 돈)$-$(사용한 돈)$+$(주운 돈)

| 해결 과정 |

$5000-(1200+500)+400=5000-1700+400$
$\qquad\qquad\qquad\qquad\qquad =3300+400=3700$

따라서 다현이가 가지고 있는 돈은 3700원 입니다.

12 답 53가구

| 문제 이해 |

이사를 간 28가구 ⇨ 28을 뺀다

이사를 온 16가구 ⇨ 16을 더한다

| 해결 과정 |

$65-28+16=37+16=53$

따라서 이 아파트의 총 가구 수는 53가구입니다.

13 답 37개

$45-27+19=18+19=37$

따라서 준호는 37개의 사탕을 가지고 있습니다.

14 답 ㉡, ㉠, ㉢

㉠ $21+75-49=96-49=47$

㉡ $9+(45-6)=9+39=48$

㉢ $88-(34+17)=88-51=37$

따라서 계산 결과가 큰 것부터 차례대로 쓰면 ㉡, ㉠, ㉢입니다.

15 답 ㉡

㉠ $18-(4+8)=18-12=6$

$\quad 18-4+8=14+8=22$

㉡ $6+(12-7)=6+5=11$

$\quad 6+12-7=18-7=11$

㉢ $23-(17-3)=23-14=9$

$\quad 23-17-3=6-3=3$

따라서 (   )가 없어도 계산 결과가 같은 것은 ㉡입니다.

16 답 67걸음

$73-15+9=58+9=67$

따라서 나연이는 처음 있는 곳에서 67걸음 떨어졌습니다.

02 곱셈과 나눗셈이 섞여 있는 식

> **따라 푸는 서술형**
> **01** > **02** = **03** 36
> **04** 100 **05** ㉠ **06** ㉡
>
> **따라 푸는 문장제 서술형**
> **07** 20000 **08** 3500원 **09** 9
> **10** 12개 **11** 1500 **12** 25000원
>
> **스스로 푸는 서술형**
> **13** > **14** 19 **15** 5배 **16** 3시간

02 답 =
$14 \times 21 \div 3 = 294 \div 3 = 98$
$14 \times (21 \div 3) = 14 \times 7 = 98$

04 답 100
$10 ♣ 5 = 10 \times (10 \div 5) \times 5 = 10 \times 2 \times 5$
$= 20 \times 5 = 100$

06 답 ㉡
㉠ $22 \div 2 \times 18 \div 6 = 11 \times 18 \div 6 = 198 \div 6 = 33$
㉡ $24 \div (32 \div 4) \times 2 = 24 \div 8 \times 2 = 3 \times 2 = 6$

08 답 3500원
| 문제 이해 |
펜을 6개씩 묶는다 ⇨ 6으로 나눈다
펜의 총 가격 ⇨ (세트의 개수)×700(원)
| 해결 과정 |
$(30 \div 6) \times 700 = 5 \times 700 = 3500$
따라서 펜의 총 가격은 3500원입니다.

10 답 12개
| 문제 이해 |
14개씩 들어 있는 젤리 6상자 ⇨ 14×6(개)
7명에게 똑같이 나누어 준다 ⇨ 7로 나눈다
| 해결 과정 |
$(14 \times 6) \div 7 = 84 \div 7 = 12$
따라서 한 사람이 받을 젤리는 12개입니다.

12 답 25000원
| 문제 이해 |
물감 4개의 가격 10000원
⇨ 물감 1개의 가격은 $10000 \div 4$(원)

| 해결 과정 |
$(10000 \div 4) \times 10 = 2500 \times 10 = 25000$
따라서 물감 10개의 가격은 25000원입니다.

13 답 >
$72 \div (18 \div 2) \times 3 = 72 \div 9 \times 3 = 8 \times 3 = 24$
$72 \div 18 \div 2 \times 3 = 4 \div 2 \times 3 = 2 \times 3 = 6$
따라서 ○ 안에 알맞은 것은 >입니다.

14 답 19
$18 \times 5 \div (30 \div 6) = 18 \times 5 \div 5 = 90 \div 5 = 18$
18<□이므로 □ 안에 들어갈 수 있는 가장 작은 자연수는 19입니다.

15 답 5배
(지수가 가지고 있는 색 테이프 길이)÷(영미가 가지고 있는 색 테이프 길이)를 구합니다.
$105 \div (7 \times 3) = 105 \div 21 = 5$
따라서 5배입니다.

16 답 3시간
한 사람이 10분에 종이학을 3개 만들 수 있으므로 1시간, 즉 60분에는 $3 \times 6 = 18$(개)의 종이학을 만들 수 있습니다.
$216 \div \{(3 \times 6) \times 4\} = 216 \div (18 \times 4)$
$= 216 \div 72 = 3$
따라서 3시간이 걸립니다.

03 덧셈, 뺄셈, 곱셈, 나눗셈이 섞여 있는 식

> **따라 푸는 서술형**
> **01** 35 **02** 12 **03** $16 \div 4$
> **04** 4×56 **05** 105 **06** 3
>
> **따라 푸는 문장제 서술형**
> **07** 78 **08** 86 **09** 27
> **10** 23상자 **11** 50 **12** 39 g
>
> **스스로 푸는 서술형**
> **13** 60 **14** 41 **15** 114개
> **16** 20개

1. 자연수의 혼합 계산 **3**

02 답 12

$$13+35\div5-4\times2=13+7-4\times2$$
$$=13+7-8$$
$$=20-8=12$$

04 답 4×56

덧셈, 뺄셈, 곱셈, 나눗셈이 섞여 있는 식의 계산은 곱셈과 나눗셈을 덧셈과 뺄셈보다 먼저 계산합니다. 또한, 곱셈과 나눗셈은 앞에서부터 차례대로 계산합니다.
따라서 가장 먼저 계산해야 하는 식은 4×56입니다.

06 답 3

괄호 ( ), { }가 있는 경우 제일 먼저 계산해야 하는 괄호는 ( )입니다.
$$\{(12+51)\div9\}-4=(63\div9)-4=7-4=3$$

08 답 86

| 문제 이해 |

18을 6으로 나눈 몫 ⇨ 18을 6으로 나눈다
24를 8로 나눈 몫 ⇨ 24를 8로 나눈다

| 해결 과정 |

$$92-(18\div6+24\div8)=92-(3+3)$$
$$=92-6=86$$

10 답 23상자

| 문제 이해 |

두 종류의 바둑돌을 섞는다 ⇨ 127과 218을 더한다
한 상자에 15개씩 넣는다 ⇨ 15로 나눈다

| 해결 과정 |

$$(127+218)\div15=345\div15=23$$
따라서 모두 23상자에 담을 수 있습니다.

12 답 39 g

| 문제 이해 |

지우개 2개의 무게 72 g
⇨ 지우개 1개의 무게는 $72\div2$(g)
연필 5자루의 무게 15 g
⇨ 연필 1자루의 무게는 $15\div5$(g)

| 해결 과정 |

$$72\div2+15\div5=36+3=39$$
따라서 지우개 1개와 연필 1자루의 무게의 합은 39 g 입니다.

13 답 60

$5\times(3+9)$에서 ( ) 안의 덧셈을 먼저 계산해야 하는데 곱셈을 먼저 계산해서 틀렸습니다.

따라서 바르게 계산하면
$$5\times\{(16-7)\div3+9\}=5\times(9\div3+9)$$
$$=5\times(3+9)$$
$$=5\times12$$
$$=60$$
입니다.

14 답 41

$\{□-(2+5)\times3\}\div5=4$에서
{ }$\div5=4$이므로 { }$=20$입니다.
$□-(2+5)\times3=20$, $□-7\times3=20$
$□-21=20$, $□=20+21$
따라서 $□=41$입니다.

15 답 114개

$$48\times5\div2-13+7=240\div2-13+7$$
$$=120-13+7$$
$$=107+7=114$$
따라서 주영이가 가지고 있는 초콜릿은 모두 114개 입니다.

16 답 20개

영우가 먹은 딸기는 18×2(개)이고
진영이가 먹은 딸기는 $18\div3+10$(개)입니다.
따라서 영우와 진영이가 먹은 딸기의 차는
$$18\times2-(18\div3+10)=36-(6+10)$$
$$=36-16=20(개)$$
입니다.

p. 18

단계별로, 문제해결 능력을 키우자!

수지는 총 4가지의 계산식을 만들 수 있습니다.
4가지 식은 다음과 같습니다.
㉠ $10\times3-8$
㉡ $10\times3\div2$
㉢ $10+14-8$
㉣ $(10+14)\div2$
각 식을 계산해 봅시다.
㉠ $10\times3-8=30-8=22$
㉡ $10\times3\div2=30\div2=15$
㉢ $10+14-8=24-8=16$
㉣ $(10+14)\div2=24\div2=12$
따라서 수지가 만들 수 있는 수 중 가장 큰 수는 22입니다.

답 22

2 ::: 약수와 배수

04 약수, 배수

p. 21~23

> **따라 푸는 서술형**

01 ㉡   **02** ㉢   **03** ㉠   **04** ㉡
05 ㉠   **06** ㉠, ㉡

> **따라 푸는 문장제 서술형**

07 6   **08** 6가지   **09** 42
10 36시간   **11** 9   **12** 6

> **스스로 푸는 서술형**

13 6개   **14** 16   **15** 2, 5, 8
16 4가지

---

02 답 ㉢

㉠ 38의 약수: 1, 2, 19, 38 ⇨ 4개
㉡ 45의 약수: 1, 3, 5, 9, 15, 45 ⇨ 6개
㉢ 54의 약수: 1, 2, 3, 6, 9, 18, 27, 54 ⇨ 8개
따라서 약수의 개수가 가장 많은 것은 ㉢입니다.

04 답 ㉡

㉠ $34 \div 7 = 4 \cdots 6$
㉡ $56 \div 4 = 14$
㉢ $92 \div 8 = 11 \cdots 4$
따라서 약수와 배수의 관계인 것은 ㉡입니다.

06 답 ㉠, ㉡

각 자리 숫자의 합이 3의 배수일 때 그 수는 3의 배수입니다.
㉠ 555 ⇨ $5+5+5=15$
㉡ 519 ⇨ $5+1+9=15$
㉢ 562 ⇨ $5+6+2=13$
따라서 3의 배수인 것은 ㉠, ㉡입니다.

08 답 6가지

| 문제 이해 |
18개를 똑같이 나누어 준다 ⇨ 18의 약수를 구한다
| 해결 과정 |
18의 약수: 1, 2, 3, 6, 9, 18

따라서 사탕을 친구들에게 남김없이 똑같이 나누어 줄 수 있는 방법은 6가지입니다.

10 답 36시간

| 문제 이해 |
매일 3시간씩 농구를 한다
⇨ 3의 배수만큼 시간이 늘어난다
| 해결 과정 |
3의 배수: 3, 6, 9, 12, 15, 18, 21, 24……
따라서 12일 동안 농구를 한 시간은 모두
$3 \times 12 = 36$(시간)입니다.

12 답 6

| 문제 이해 |
약수의 합이 12 ⇨ 모든 약수를 더해서 12인지 확인
| 해결 과정 |
2의 약수의 합: $1+2=3$
4의 약수의 합: $1+2+4=7$
6의 약수의 합: $1+2+3+6=12$
따라서 어떤 수는 6입니다.

13 답 6개

□와 14가 약수와 배수의 관계이면 □는 14의 약수이거나 14의 배수입니다.
14의 약수: 1, 2, 7, 14
14의 배수: 14, 28, 42, 56……
따라서 □ 안에 들어갈 수 있는 수는 1, 2, 7, 14, 28, 42의 6개입니다.

14 답 16

8의 배수: 8, 16, 24, 32……
8의 약수의 합: $1+2+4+8=15$
16의 약수의 합: $1+2+4+8+16=31$
따라서 어떤 수는 16입니다.

15 답 2, 5, 8

$1+7+□+8$은 3의 배수이어야 합니다.
즉, $16+□$가 3의 배수이므로
$16+□=18$에서 □$=2$
$16+□=21$에서 □$=5$
$16+□=24$에서 □$=8$
따라서 □ 안에 들어갈 수 있는 자연수는 2, 5, 8입니다.

16 답 4가지

사탕은 모두 $7 \times 3 = 21$(개)입니다.
21의 약수: 1, 3, 7, 21
따라서 사탕을 친구들에게 남김없이 똑같이 나누어 줄 수 있는 방법은 모두 4가지입니다.

05 공약수와 최대공약수

p. 25~27

> 따라 푸는 서술형

01 12   **02** 8   **03** 15   **04** 14

05 8   **06** 18

> 따라 푸는 문장제 서술형

07 3, 2   **08** 귤 3개, 딸기 5개

09 6   **10** 6   **11** 15   **12** 15개

> 스스로 푸는 서술형

13 6개   **14** 6

15 세제 2개, 휴지 3개   **16** 28개

---

02 답 8

24의 약수: 1, 2, 3, 4, 6, 8, 12, 24
32의 약수: 1, 2, 4, 8, 16, 32
따라서 공약수는 1, 2, 4, 8이고 이 중에서 가장 큰 수는 8입니다.

04 답 14

$70 = 7 \times 10 = 7 \times 2 \times 5$
$126 = 2 \times 63 = 2 \times 3 \times 3 \times 7$
두 수의 최대공약수는 $2 \times 7 = 14$입니다.

06 답 18

두 수의 최대공약수는
$2 \times 3 \times 3 = 18$입니다.

```
2)36 54
3)18 27
3) 6  9
    2  3
```

08 답 귤 3개, 딸기 5개

| 문제 이해 |

42개, 70개를 똑같이 나누어 준다
⇨ 42와 70의 공약수 이용
될 수 있는 대로 많은 ⇨ 최대공약수 이용

| 해결 과정 |

42와 72의 최대공약수는
$2 \times 7 = 14$입니다.
따라서 과일을 14명에게 나누어 줄 수
있고 한 학생은 귤을 $42 \div 14 = 3$(개),
딸기를 $70 \div 14 = 5$(개)씩 받을 수 있습니다.

```
2)42 70
7)21 35
   3  5
```

10 답 6

| 문제 이해 |

38을 어떤 수로 나누었을 때 나머지가 2
⇨ 나누어떨어지는 수는 38−2
44를 어떤 수로 나누었을 때 나머지가 2
⇨ 나누어떨어지는 수는 44−2

| 해결 과정 |

$38 - 2 = 36$과 $44 - 2 = 42$는 어떤 수로 나누어떨어지므로 36과 42의 최대공약수를 구합니다.
36과 42의 최대공약수는
$2 \times 3 = 6$이므로 어떤 수 중에서
가장 큰 수는 6입니다.

```
2)36 42
3)18 21
   6  7
```

12 답 15개

| 문제 이해 |

정사각형의 한 변의 길이
⇨ 색종이의 가로와 세로의 공약수

| 해결 과정 |

45와 27의 최대공약수는 9이므로 가
로는 한 변의 길이가 9 cm인 정사각형
이 $45 \div 9 = 5$(개),
세로는 한 변의 길이가 9 cm인 정사각형이
$27 \div 9 = 3$(개)로 나누어질 수 있습니다.
따라서 만들 수 있는 종이학은 모두 $5 \times 3 = 15$(개)입니다.

```
3)45 27
3)15  9
   5  3
```

13 답 6개

어떤 두 수의 공약수는 두 수의 최대공약수의 약수와 같습니다.
두 수의 최대공약수가 28이므로 이 두 수의 공약수는 1, 2, 4, 7, 14, 28로 6개입니다.

14 답 6

$34 - 4 = 30$과 $50 - 2 = 48$은 어떤 수로 나누어떨어지므로 30과 48의 최대공약수를 구합니다.
30과 48의 최대공약수는 6이므로 어떤 수 중에서 가장 큰 수는 6입니다.

```
2)30 48
3)15 24
   5  8
```

15 답 세제 2개, 휴지 3개

$32 = 2 \times 2 \times 2 \times 2 \times 2$, $48 = 2 \times 2 \times 2 \times 2 \times 3$
32와 48의 최대공약수는 $2 \times 2 \times 2 \times 2 = 16$입니다.
따라서 16명에게 똑같이 나누어 줄 수 있으며 이때 세제는 $32 \div 16 = 2$(개), 휴지는 $48 \div 16 = 3$(개)씩 받을 수 있습니다.

6 정답과 풀이

16 답 28개

210과 120의 최대공약수는 30입니다. 한 변의 길이가 30 cm인 정사각형을 가로에는 210÷30=7(개), 세로에는 120÷30=4(개)씩 붙일 수 있으므로 필요한 타일은 7×4=28(개)입니다.

06 공배수와 최소공배수

p. 29~31

> 따라 푸는 서술형
01 18   **02** 90   **03** 150   **04** 84
05 56   **06** 30

> 따라 푸는 문장제 서술형
07 24, 48, 72
08 20일, 40일, 60일 후   **09** 36 cm
10 33 cm   **11** 9, 0   **12** 오전 11시 30분

> 스스로 푸는 서술형
13 4개   **14** 15개   **15** 6개
16 5월 22일

02 답 90

두 수의 공배수는 30, 60, 90……입니다.
따라서 세 번째로 작은 수는 90입니다.

04 답 84

28=2×14=2×7×2, 42=2×21=2×7×3
두 수의 최소공배수는 2×7×2×3=84입니다.

06 답 30

두 수의 최소공배수는
3×2×5=30입니다.

3)6 15
   2 5

08 답 20일, 40일, 60일 후

| 문제 이해 |
5일마다, 4일마다 청소한다 ⇨ 5와 4의 공배수 이용

| 해결 과정 |
5와 4의 공배수는 20, 40, 60, 80……이므로 두 교실을 동시에 청소해야 하는 가장 빠른 날은 20일, 40일, 60일 후입니다.

10 답 33 cm

| 문제 이해 |
가장 짧은 리본의 길이 ⇨ 11과 3의 최소공배수 이용

| 해결 과정 |
11과 3의 최소공배수는 11×3=33이므로 만들 수 있는 가장 짧은 리본의 길이는 33 cm입니다.

12 답 오전 11시 30분

| 문제 이해 |
동시에 출발하는 시간 간격
⇨ 45와 30의 최소공배수 이용

| 해결 과정 |
45와 30의 최소공배수는 90이므로 두 기차는 90분 뒤에 동시에 출발합니다. 다음에 두 기차가 동시에 출발하는 시각은 오전 11시 30분입니다.

13 답 4개

8과 12의 최소공배수는 24이므로 100 미만의 수 중 24의 배수의 개수만큼 공배수가 있습니다.
24의 배수: 24, 48, 72, 96……
따라서 8과 12의 공배수 중에서 100보다 작은 수는 4개입니다.

14 답 15개

18과 30의 최소공배수는 90이므로 한 변의 길이가 90 cm인 정사각형을 만들 수 있습니다.
따라서 타일을 가로로 90÷18=5(개), 세로로 90÷30=3(개)씩 붙이면 가장 작은 정사각형을 만들 수 있으므로 필요한 타일은 5×3=15(개)입니다.

15 답 6개

3과 5의 최소공배수는 15입니다.
따라서 100 이하의 수 중 15의 배수의 개수만큼 두 사람이 계단을 밟고 지나갑니다.
100보다 작은 15의 배수는 15, 30, 45, 60, 75, 90이므로 6개의 계단을 두 사람이 모두 밟고 지나갑니다.

16 답 5월 22일

6과 9의 최소공배수는 18이므로 수현이와 진호가 함께 수영장에 가는 날은 18일 후인 5월 22일입니다.

p. 32

단계별로, 문제해결 능력을 키우자!

98의 약수는 1, 2, 7, 14, 49, 98입니다.
7의 배수는 7, 14, 21, 28, 35……입니다.
98의 약수이면서 7의 배수인 수는 7, 14, 49, 98입니다.
이 중 10보다 크고 20보다 작은 수는 14입니다.
답 14

3 ::: 규칙과 대응

07 두 양 사이의 관계

p. 35~37

> 따라 푸는 서술형

01 풀이 참조 **02** 풀이 참조 **03** 풀이 참조

04 풀이 참조 **05** 풀이 참조 **06** 풀이 참조

> 따라 푸는 문장제 서술형

07 5000 **08** 풀이 참조 **09** 16

10 96점 **11** 18 **12** 96000원

> 스스로 푸는 서술형

13 10개 **14** 5문제 **15** 풀이 참조

16 8접시

---

01 답 풀이 참조

딸기 우유는 흰 우유보다 3개 많습니다.
흰 우유는 딸기 우유보다 3개 적습니다.

02 답 풀이 참조

세발자전거의 바퀴 수는 세발자전거의 수의 3배입니다.
세발자전거의 바퀴 수를 3으로 나누면 세발자전거의 수와 같습니다.

03 답 풀이 참조

고양이의 수(마리)	8	9	10	11	12
강아지의 수(마리)	7	6	5	4	3

강아지 수는 15에서 고양이의 수를 뺀 수와 같습니다.

04 답 풀이 참조

꽃병 수(개)	1	2	3	4	5	6
장미 수(송이)	5	10	15	20	25	30

장미 수를 5로 나누면 꽃병 수와 같습니다.
따라서 (장미 수)÷5=3, (장미 수)÷5=5,
(장미 수)÷5=6이 되어야 합니다.

05 답 풀이 참조

사탕 수(개)	1	2	3	4	5
초콜릿 수(개)	8	9	10	11	12

06 답 풀이 참조

색종이의 수(장)	2	4	6	8	10
색연필의 수(자루)	13	11	9	7	5

색연필의 수는 15에서 색종이의 수를 뺀 수와 같습니다. 따라서 색종이가 2장일 때 색연필은 13자루, 색종이가 4장일 때 색연필 11자루…… 색종이가 10장일 때 색연필은 5자루입니다.

08 답 풀이 참조

| 문제 이해 |

밤을 먹었다 ⇨ 남은 밤의 개수는 30에서 먹은 밤의 개수를 뺀 것과 같다

| 해결 과정 |

남은 밤의 개수는 30에서 먹은 밤의 개수를 뺀 것과 같습니다.

10 답 96점

맞힌 문제 수(개)	20	21	22	23	24
점수(점)	80	84	88	92	96

| 문제 이해 |

문제와 점수와의 관계
⇨ 한 문제씩 맞힐 때마다 점수가 4점 오른다

| 해결 과정 |

한 문제를 맞힐 때마다 점수가 4점씩 오릅니다. 점수는 맞힌 문제 수의 4배이므로 24문제를 맞히면 $24 \times 4 = 96$(점)을 받게 됩니다.

12 답 96000원

| 문제 이해 |

매달 8000원씩 저축한다
⇨ 저축 금액은 저축한 개월 수에 8000을 곱한 값이다

| 해결 과정 |

1년은 12달이므로 연지가 1년동안 빠짐없이 저축하면 $8000 \times 12 = 96000$(원)을 모을 수 있습니다.

13 답 10개

쿠키는 모두 24개이므로 효진이와 민석이가 먹은 쿠키를 표로 나타내면 다음과 같습니다.

민석	12	13	14	15	16
효진	12	11	10	9	8

민석이가 효진이보다 쿠키를 4개 더 먹었으므로 민석이가 14개를 먹었을 때 효진이는 10개를 먹었습니다.

14 답 5문제

형석이가 오늘 풀 문제의 수는 전날 푼 문제 수의 2배입니다.
목요일에 푼 문제는 40문제입니다.
수요일에 푼 문제 수의 2배가 40문제이므로
수요일에 푼 문제는 20문제입니다.
화요일에 푼 문제 수의 2배가 20문제이므로
화요일에 푼 문제는 10문제입니다.
월요일에 푼 문제 수의 2배가 10문제이므로
월요일에 푼 문제는 5문제입니다.
따라서 형석이는 월요일에 5문제를 풀었습니다.

15 답 풀이 참조

과자의 수(개)	3	6	9	12	15
과자 값(원)	1800	3600	5400	7200	9000

10000원을 넘지 않아야 하므로 15개를 살 수 있습니다.

16 답 8접시

접시 수에 따라 사탕과 초콜릿의 수가 어떻게 변하는지 표에 나타내면 다음과 같습니다.

접시 수(접시)	1	2	3	4	5	6	7	8
사탕(개)	5	10	15	20	25	30	35	40
초콜릿(개)	7	14	21	28	35	42	49	56

초콜릿의 수는 접시 수의 7배이고 사탕의 수는 접시 수의 5배입니다. 초콜릿의 수와 사탕 수의 합이 96이므로 이 때의 접시 수는 8접시입니다.

08 대응 관계를 식으로 나타내기

> 따라 푸는 서술형

01 6　　　　　　　　**02** 풀이 참조

03 4　　　　**04** ◉=♣+4 또는 ♣=◉-4

05 풀이 참조　　　　**06** 풀이 참조

> 따라 푸는 문장제 서술형

07 25　　**08** 15마리　　**09** 정한　　**10** 하윤

> 스스로 푸는 서술형

11 ▓=●×10 또는 ●=▓÷10

12 풀이 참조　　　　**13** (1) ♥=★×7

또는 ★=♥÷7 (2) ◉=7, ◆=49

14 (1) 풀이 참조 (2) 오후 2시 20분

02 답 풀이 참조

지우개의 수는 연필의 수보다 2개 많습니다.
연필의 수는 지우개의 수보다 2개 적습니다.
따라서 (지우개의 수)=(연필의 수)+2
또는 (연필의 수)=(지우개의 수)-2입니다.

04 답 ◉=♣+4 또는 ♣=◉-4

◉는 ♣보다 4만큼 큽니다.

05 답 풀이 참조

사과의 수(개)	5	4	3	2	1
배의 수(개)	11	12	13	14	15

사과의 수와 배의 수의 합이 16으로 일정하므로 대응 관계를 식으로 나타내면 ●=16-★
또는 ★=16-●입니다.

06 답 풀이 참조

자른 횟수(회)	1	2	3	4	5
도막 수(도막)	2	3	4	5	6

(자른 횟수)+1=(도막 수)이므로 ●+1=★
또는 ★-1=●입니다.

08 답 15마리

| 문제 이해 |

거미 다리가 8개

⇨ 거미 수에 따른 다리의 개수는 ×8

| 해결 과정 |

거미 한 마리당 다리가 8개씩 있으므로 거미 수를 ♦, 다리 수를 ●라 하면 ♦×8=● 또는 ●÷8=♦입니다.

따라서 거미 다리가 120개일 때 15×8=120이므로 거미는 모두 15마리입니다.

10 답 하윤

| 문제 이해 |

1분에 계단을 5개씩 오른다 ⇨ 올라간 계단은 ×5

| 해결 과정 |

1분에 계단을 5개씩 오르므로 계단을 오르는 데에 걸린 시간을 ♥, 계단의 수를 ♣라고 하면 ♣=♥×5 또는 ♥=♣÷5입니다. 따라서 계단 60개를 오르기까지 걸린 시간은 60÷5=12(분)입니다.

따라서 잘못 이야기한 친구는 하윤입니다.

11 답 ■=●×10 또는 ●=■÷10

오징어 한 마리의 다리는 10개이므로 ■=●×10 또는 ●=■÷10입니다.

12 답 풀이 참조

사각형은 4개의 변을 가지고 있으므로

(사각형 수)×4=(사각형 변의 수)

또는 (사각형 변의 수)÷4=(사각형 수)입니다.

13 답 ⑴ ♥=★×7 또는 ★=♥÷7 ⑵ ◉=7, ♦=49

상자 수(개)	1	2	3	4	5
구슬 수(개)	7	14	21	28	35

⑴ 상자 한 개에 구슬이 7개 들어가므로 ♥=★×7 또는 ★=♥÷7입니다.

⑵ 상자 수가 1개씩 늘어날 때마다 구슬의 수는 7개씩 늘어납니다. 상자가 7개이면 구슬은 7×7=49(개)입니다.

14 답 ⑴ 풀이 참조 ⑵ 오후 2시 20분

서울	오전 7시 30분	오전 8시	오전 8시 30분	오전 9시
방콕	오전 5시 30분	오전 6시	오전 6시 30분	오전 7시

⑴ 서울이 방콕보다 2시간 빠릅니다.

(방콕의 시각)+2시간=(서울의 시각) 또는 (서울의 시각)−2시간=(방콕의 시각)입니다.

⑵ (서울의 시각)−2시간=(방콕의 시각)이므로 (오후 4시 20분)−2시간=(오후 2시 20분)

따라서 서울이 오후 4시 20분일 때 방콕은 오후 2시 20분입니다.

단계별로, 문제해결 능력을 키우자!

언니가 먹는 과자의 수를 □라 하면

동생이 먹는 과자의 수는 □+1이므로

언니가 먹는 과자의 수와 동생이 먹는 과자의 수의 합은 □+□+1입니다.

과자가 1개이면 □+□+1=1에서 □=0

과자가 3개이면 □+□+1=3에서 □=1

과자가 5개이면 □+□+1=5에서 □=2

과자가 7개이면 □+□+1=7에서 □=3

과자가 9개이면 □+□+1=9에서 □=4

따라서 표를 완성하면 다음과 같습니다.

과자의 수(개)	1	3	5	7	9
언니가 먹는 과자의 수(개)	0	1	2	3	4

즉, 과자가 2개 늘어날 때 언니가 먹는 과자는 1개 늘어납니다.

과자가 9개에서 2개 늘어나면 언니가 먹을 수 있는 과자는 4개에서 1개 늘어나서 5개가 됩니다.

답 5개

4 ::: 약분과 통분

09 크기가 같은 분수

p. 45~47

> 따라 푸는 서술형

01 $\dfrac{9}{12}$ 02 $\dfrac{1}{4}$ 03 $\dfrac{8}{18}$, $\dfrac{12}{27}$, $\dfrac{16}{36}$

04 $\dfrac{6}{10}$, $\dfrac{9}{15}$, $\dfrac{12}{20}$ 05 $\dfrac{9}{24}$, $\dfrac{15}{40}$, $\dfrac{27}{72}$

06 $\dfrac{21}{27}$, $\dfrac{77}{99}$

> 따라 푸는 문장제 서술형

07 2 08 2조각 09 3

10 3조각 11 1 12 2조각

> 스스로 푸는 서술형

13 $\dfrac{18}{24}$, $\dfrac{21}{28}$ 14 $\dfrac{15}{18}$, $\dfrac{10}{12}$, $\dfrac{5}{6}$

15 $\dfrac{15}{25}$ 16 8조각

---

02 답 $\dfrac{1}{4}$

$$\dfrac{4}{16} = \dfrac{4 \div 4}{16 \div 4} = \dfrac{1}{4}$$

따라서 $\dfrac{4}{16}$와 크기가 같고 분모가 4인 분수는 $\dfrac{1}{4}$입니다.

04 답 $\dfrac{6}{10}$, $\dfrac{9}{15}$, $\dfrac{12}{20}$

$$\dfrac{6}{10} = \dfrac{3 \times 2}{5 \times 2}, \ \dfrac{9}{15} = \dfrac{3 \times 3}{5 \times 3}, \ \dfrac{12}{20} = \dfrac{3 \times 4}{5 \times 4}$$

따라서 $\dfrac{3}{5}$과 크기가 같은 분수는 $\dfrac{6}{10}$, $\dfrac{9}{15}$, $\dfrac{12}{20}$입니다.

06 답 $\dfrac{21}{27}$, $\dfrac{77}{99}$

$$\dfrac{7 \times 2}{9 \times 2} = \dfrac{14}{18}, \ \dfrac{7 \times 3}{9 \times 3} = \dfrac{21}{27}, \ \dfrac{7 \times 4}{9 \times 4} = \dfrac{28}{36}$$

$$\dfrac{7 \times 9}{9 \times 9} = \dfrac{63}{81}, \ \dfrac{7 \times 11}{9 \times 11} = \dfrac{77}{99}$$

따라서 $\dfrac{7}{9}$과 크기가 같은 분수는 $\dfrac{21}{27}$, $\dfrac{77}{99}$입니다.

---

08 답 2조각

| 문제 이해 |

그레텔이 피자를 10조각으로 나누었다

⇨ 헨젤의 피자 한 조각을 2조각씩 또 나눈 것과 같다

| 해결 과정 |

$$\dfrac{1}{5} = \dfrac{1 \times 2}{5 \times 2} = \dfrac{2}{10}$$

따라서 그레텔은 2조각을 먹어야 합니다.

10 답 3조각

| 문제 이해 |

다현이가 먹은 수박의 양 ⇨ $\dfrac{1}{7}$

승민이가 먹어야 하는 수박의 양 ⇨ 분자와 분모에 $\times 3$

| 해결 과정 |

$$\dfrac{1}{7} = \dfrac{1 \times 3}{7 \times 3} = \dfrac{3}{21}$$

따라서 승민이는 3조각을 먹어야 합니다.

12 답 2조각

| 문제 이해 |

정은이가 먹은 호두파이의 양 ⇨ $\dfrac{6}{24}$

태강이가 먹어야 하는 양 ⇨ 분자와 분모에 $\div 3$

| 해결 과정 |

$$\dfrac{6}{24} = \dfrac{6 \div 3}{24 \div 3} = \dfrac{2}{8}$$

따라서 태강이는 2조각을 먹어야 합니다.

13 답 $\dfrac{18}{24}$, $\dfrac{21}{28}$

$$\dfrac{3 \times 6}{4 \times 6} = \dfrac{18}{24}, \ \dfrac{3 \times 7}{4 \times 7} = \dfrac{21}{28}$$

따라서 $\dfrac{3}{4}$과 크기가 같으면서 분모가 20보다 크고 30보다 작은 분수는 $\dfrac{18}{24}$, $\dfrac{21}{28}$입니다.

14 답 $\dfrac{15}{18}$, $\dfrac{10}{12}$, $\dfrac{5}{6}$

$$\dfrac{30 \div 2}{36 \div 2} = \dfrac{15}{18}, \ \dfrac{30 \div 3}{36 \div 3} = \dfrac{10}{12}, \ \dfrac{30 \div 6}{36 \div 6} = \dfrac{5}{6}$$

따라서 $\dfrac{30}{36}$과 크기가 같은 분수는 $\dfrac{15}{18}$, $\dfrac{10}{12}$, $\dfrac{5}{6}$입니다.

15 답 $\dfrac{15}{25}$

$$\dfrac{3\times 2}{5\times 2}=\dfrac{6}{10} \Rightarrow 10+6=16$$

$$\dfrac{3\times 3}{5\times 3}=\dfrac{9}{15} \Rightarrow 15+9=24$$

$$\dfrac{3\times 4}{5\times 4}=\dfrac{12}{20} \Rightarrow 20+12=32$$

$$\dfrac{3\times 5}{5\times 5}=\dfrac{15}{25} \Rightarrow 15+25=40$$

따라서 $\dfrac{3}{5}$과 크기가 같으면서 분자와 분모의 합이

40인 분수는 $\dfrac{15}{25}$입니다.

16 답 8조각

$$\dfrac{2}{3}=\dfrac{2\times 4}{3\times 4}=\dfrac{8}{12}$$

따라서 영미는 12조각 중 8조각을 사용했습니다.

10 약분, 통분

p. 49~51

> 따라 푸는 서술형

01 1, 2, 3, 4, 6, 12　　　**02** 1, 2, 3, 6

03 (1) $\dfrac{3}{4}$ (2) $\dfrac{3}{5}$　　**04** (1) $\dfrac{1}{3}$ (2) $\dfrac{2}{3}$

05 $\left(\dfrac{20}{42},\dfrac{35}{42}\right)$

06 (1) $\left(\dfrac{8}{24},\dfrac{11}{24}\right)$ (2) $\left(\dfrac{27}{30},\dfrac{16}{30}\right)$

> 따라 푸는 문장제 서술형

07 $\dfrac{2}{5}$　　**08** $\dfrac{2}{3}$　　**09** 24, 48

10 21, 42, 63　　　　**11** $\dfrac{4}{5}$, $\dfrac{7}{9}$

12 $\dfrac{5}{9}$, $\dfrac{7}{15}$

> 스스로 푸는 서술형

13 $\dfrac{3}{5}$　　**14** 24, 48, 72　　**15** $\dfrac{36}{96}$

16 $\dfrac{1}{5}$, $\dfrac{3}{5}$, $\dfrac{1}{7}$, $\dfrac{3}{7}$, $\dfrac{5}{7}$

02 답 1, 2, 3, 6

$\dfrac{36}{42}$은 42와 36의 공약수로 약분할 수 있습니다.

42와 36의 공약수는 1, 2, 3, 6입니다.

따라서 분모와 분자를 나눌 수 있는 수는 1, 2, 3, 6
입니다.

04 답 (1) $\dfrac{1}{3}$ (2) $\dfrac{2}{3}$

(1) 분모와 분자를 최대공약수인 15로 나눕니다.

$$\dfrac{15}{45}=\dfrac{15\div 15}{45\div 15}=\dfrac{1}{3}$$

(2) 분모와 분자를 최대공약수인 22로 나눕니다.

$$\dfrac{44}{66}=\dfrac{44\div 22}{66\div 22}=\dfrac{2}{3}$$

06 답 (1) $\left(\dfrac{8}{24},\dfrac{11}{24}\right)$ (2) $\left(\dfrac{27}{30},\dfrac{16}{30}\right)$

(1) 3과 24의 최소공배수는 24입니다.

$$\left(\dfrac{1}{3},\dfrac{11}{24}\right)\Rightarrow\left(\dfrac{1\times 8}{3\times 8},\dfrac{11\times 1}{24\times 1}\right)\Rightarrow\left(\dfrac{8}{24},\dfrac{11}{24}\right)$$

(2) 10과 15의 최소공배수는 30입니다.

$$\left(\dfrac{9}{10},\dfrac{8}{15}\right)\Rightarrow\left(\dfrac{9\times 3}{10\times 3},\dfrac{8\times 2}{15\times 2}\right)$$
$$\Rightarrow\left(\dfrac{27}{30},\dfrac{16}{30}\right)$$

08 답 $\dfrac{2}{3}$

| 문제 이해 |

철사의 $\dfrac{4}{12}$만큼 사용 $\Rightarrow$ 남은 철사는 $1-\dfrac{4}{12}$

| 해결 과정 |

$$1-\dfrac{4}{12}=\dfrac{8}{12}=\dfrac{8\div 4}{12\div 4}=\dfrac{2}{3}$$

따라서 남은 철사는 전체의 $\dfrac{2}{3}$입니다.

10 답 21, 42, 63

| 문제 이해 |

공통분모가 될 수 있는 수 $\Rightarrow$ 두 분모의 공배수

| 해결 과정 |

3과 7의 공배수는 21, 42, 63……입니다.

따라서 공통분모가 될 수 있는 수는 21, 42, 63입니다.

12 답 $\dfrac{5}{9}$, $\dfrac{7}{15}$

| 문제 이해 |

통분하기 전의 두 기약분수

$\Rightarrow$ 통분한 두 분수를 각각 약분

| 해결 과정 |

$$\dfrac{25}{45}=\dfrac{25\div 5}{45\div 5}=\dfrac{5}{9},\quad \dfrac{21}{45}=\dfrac{21\div 3}{45\div 3}=\dfrac{7}{15}$$

따라서 통분하기 전의 두 기약분수는 $\dfrac{5}{9}$, $\dfrac{7}{15}$입니다.

13 답 $\frac{3}{5}$

$$\frac{9}{15}=\frac{9\div 3}{15\div 3}=\frac{3}{5}$$

따라서 동생이 갈은 밭은 전체의 $\frac{3}{5}$입니다.

14 답 24, 48, 72

8과 12의 최소공배수는 24이므로 공배수는
24, 48, 72……입니다.
따라서 공통분모가 될 수 있는 수는 24, 48, 72입니다.

15 답 $\frac{36}{96}$

$\frac{21}{56}$을 기약분수로 나타내면 $\frac{21\div 7}{26\div 7}=\frac{3}{8}$이고

8의 배수 중 100에 가까운 두 자리 수는 $8\times 12=96$
입니다.

따라서 $\frac{21}{56}$과 크기가 같은 분수 중에서 분모가 100

에 가장 가까운 두 자리 수인 분수는 $\frac{3\times 12}{8\times 12}=\frac{36}{96}$

입니다.

16 답 $\frac{1}{5}$, $\frac{3}{5}$, $\frac{1}{7}$, $\frac{3}{7}$, $\frac{5}{7}$

35를 공통분모로 하여 통분할 수 있는 진분수의 분모
는 1을 제외한 35의 공약수입니다.
따라서 분모는 5 또는 7이어야 하므로
$\frac{1}{5}$, $\frac{3}{5}$, $\frac{1}{7}$, $\frac{3}{7}$, $\frac{5}{7}$입니다.

11 분수와 소수의 크기 비교

p. 53~55

> 따라 푸는 서술형

01 ㉡ **02** ㉠ **03** ㉡, ㉠, ㉢

04 ㉡, ㉠, ㉢ **05** 6 **06** 6, 7, 8

> 따라 푸는 문장제 서술형

07 한나 **08** 민선 **09** 민서 **10** 영미

11 A 자동차 **12** 수도 A

> 스스로 푸는 서술형

13 사과 상자 **14** 학교

15 15, 16, 17, 18, 19 **16** 3개

02 답 ㉠

㉠ $\frac{11}{20}=\frac{11\times 9}{20\times 9}=\frac{99}{180}$

㉡ $\frac{4}{9}=\frac{4\times 20}{9\times 20}=\frac{80}{180}$

따라서 더 큰 수는 ㉠입니다.

04 답 ㉡, ㉠, ㉢

㉡ $\frac{13}{25}=\frac{13\times 4}{25\times 4}=\frac{52}{100}=0.52$

㉢ $\frac{3}{5}=\frac{3\times 2}{5\times 2}=\frac{6}{10}=0.6$

따라서 작은 수부터 차례대로 나열하면 ㉡, ㉠, ㉢입
니다.

06 답 6, 7, 8

$4\frac{3}{5}=4+\frac{3}{5}=4+\frac{3\times 2}{5\times 2}=4+0.6=4.6$

$4\frac{9}{10}=4+\frac{9}{10}=4+0.9=4.9$

따라서 $4.6<4.\square 6<4.9$를 만족하는 $\square$는 6, 7, 8
입니다.

08 답 민선

| 문제 이해 |
분수와 소수의 크기 비교
⇨ 분수를 소수로 고쳐서 비교

| 해결 과정 |
$16\frac{7}{20}=16+\frac{7}{20}=16+\frac{7\times 5}{20\times 5}=16+0.35$
$\qquad=16.35$

따라서 더 빠른 사람은 민선이입니다.

10 답 영미

| 문제 이해 |
세 분수의 크기 비교 ⇨ 분모를 통분하여 비교

| 해결 과정 |
$\left(\frac{3}{4},\ \frac{5}{6},\ \frac{7}{12}\right)\Rightarrow\left(\frac{9}{12},\ \frac{10}{12},\ \frac{7}{12}\right)$

따라서 피자를 가장 많이 먹은 사람은 영미입니다.

12 답 수도 A

| 문제 이해 |
분수와 소수의 크기 비교
⇨ 분수를 소수로 고쳐서 비교

| 해결 과정 |
$36\frac{9}{25}=36+\frac{9\times 4}{25\times 4}=36+0.36=36.36$

따라서 물이 더 많이 나오는 수도는 수도 A입니다.

13 답 사과 상자

$4\frac{8}{25}=4+\frac{8}{25}=4+\frac{8\times4}{25\times4}=4+0.32=4.32$

따라서 가장 무거운 것은 사과 상자입니다.

14 답 학교

$\left(\frac{4}{5},\ \frac{7}{9},\ \frac{13}{15}\right)\Rightarrow\left(\frac{36}{45},\ \frac{35}{45},\ \frac{39}{45}\right)$

따라서 재희네 집에서 가장 가까운 곳은 학교입니다.

15 답 15, 16, 17, 18, 19

$\frac{7}{12}=\frac{7\times2}{12\times2}=\frac{14}{24},\ \frac{5}{6}=\frac{5\times4}{6\times4}=\frac{20}{24}$이므로

$\frac{7}{12}<\frac{\square}{24}<\frac{5}{6}\Rightarrow\frac{14}{24}<\frac{\square}{24}<\frac{20}{24}$

따라서 □ 안에 들어갈 수 있는 자연수는 15, 16, 17, 18, 19입니다.

16 답 3개

$0.16=\frac{16}{100}=\frac{16\div4}{100\div4}=\frac{4}{25}$

따라서 □가 될 수 있는 분수는 $\frac{1}{25},\ \frac{2}{25},\ \frac{3}{25}$으로 3개입니다.

p. 56

단계별로, 문제해결 능력을 키우자!

주어진 수 3개 중에서 2개가 분수이므로 소수를 분수로 바꾸는 것이 유리합니다.

3.375를 분수로 바꾸면 $3.375=3\frac{375}{1000}=3\frac{3}{8}$입니다.

4, 8, 16의 최소공배수는 16이므로 16을 공통분모로하여 세 분수를 통분합니다.

$3\frac{3}{8}<\frac{\square}{4}<4\frac{3}{16}\Rightarrow\frac{27}{8}<\frac{\square}{4}<\frac{67}{16}$

$\Rightarrow\frac{54}{16}<\frac{4\times\square}{16}<\frac{67}{16}$

즉, $54<4\times\square<67$에서

$4\times14=56,\ 4\times15=60,\ 4\times16=64$입니다.

따라서 □ 안에 들어갈 수 있는 자연수는 14, 15, 16입니다.

답 14, 15, 16

14 정답과 풀이

---

5 ::: 분수의 덧셈과 뺄셈

12 분수의 덧셈 (1)

p. 59~61

> 따라 푸는 서술형

01 $\frac{11}{12}$　　**02** $\frac{9}{10}$　　**03** $\frac{13}{18}$　　**04** $\frac{22}{45}$

05 $\frac{41}{45}$　　**06** (1) $\frac{17}{40}$　(2) $\frac{11}{21}$

> 따라 푸는 문장제 서술형

07 $\frac{14}{15}$　　**08** $\frac{11}{12}$ 컵　　**09** $3\frac{17}{20}$

10 $\frac{5}{6}$ m　　**11** $2\frac{17}{30}$　　**12** $\frac{5}{6}$ 시간

> 따라 푸는 문장제 서술형

13 $2\frac{23}{30}$ 시간　　　**14** 6　　　**15** 5

16 $2\frac{9}{10}$ km

02 답 $\frac{9}{10}$

$\frac{1}{2}=\frac{5}{10},\ \frac{2}{5}=\frac{4}{10}$이므로 $\frac{1}{2}+\frac{2}{5}=\frac{9}{10}$입니다.

04 답 $\frac{22}{45}$

[방법 1] 분모의 곱으로 통분하여 계산

$\frac{4}{15}+\frac{2}{9}=\frac{4\times9}{15\times9}+\frac{2\times15}{9\times15}=\frac{66}{135}=\frac{22}{45}$

[방법 2] 분모의 최소공배수로 통분하여 계산

$\frac{4}{15}+\frac{2}{9}=\frac{4\times3}{15\times3}+\frac{2\times5}{9\times5}=\frac{22}{45}$

06 답 (1) $\frac{17}{40}$ (2) $\frac{11}{21}$

(1) $\frac{1}{8}+\frac{3}{10}=\frac{5}{40}+\frac{12}{40}=\frac{17}{40}$

(2) $\frac{5}{14}+\frac{1}{6}=\frac{15}{42}+\frac{7}{42}=\frac{22}{42}=\frac{11}{21}$

08 답 $\frac{11}{12}$ 컵

| 문제 이해 |

마신 물의 전체 양 $\Rightarrow \frac{3}{4}$과 $\frac{1}{6}$을 더한다

| 해결 과정 |

$$\frac{3}{4}+\frac{1}{6}=\frac{3\times3}{4\times3}+\frac{1\times2}{6\times2}=\frac{9}{12}+\frac{2}{12}=\frac{11}{12}$$

따라서 두 사람이 마신 물의 양은 $\frac{11}{12}$ 컵입니다.

10 답 $\frac{5}{6}$ m

| 문제 이해 |

희지가 가진 끈 길이 ⇨ (진모가 가진 끈 길이)+$\frac{1}{12}$ (m)

| 해결 과정 |

$$(희지가 가진 끈 길이)=\frac{3}{8}+\frac{1}{12}$$
$$=\frac{9}{24}+\frac{2}{24}=\frac{11}{24}\,(m)$$

따라서 두 사람이 가지고 있는 끈은 모두

$$\frac{3}{8}+\frac{11}{24}=\frac{9}{24}+\frac{11}{24}=\frac{20}{24}=\frac{5}{6}\,(m)입니다.$$

12 답 $\frac{5}{6}$ 시간

| 문제 이해 |

5분 ⇨ $\frac{5}{60}=\frac{1}{12}$ (시간)

| 해결 과정 |

$$\frac{3}{4}+\frac{1}{12}=\frac{9}{12}+\frac{1}{12}=\frac{10}{12}=\frac{5}{6}$$

따라서 지선이가 할머니 댁에 가는 데 걸린 시간은 $\frac{5}{6}$ 시간입니다.

13 답 $2\frac{23}{30}$ 시간

$$\frac{3}{5}+2\frac{1}{6}=\frac{18}{30}+2\frac{5}{30}=2+\left(\frac{18}{30}+\frac{5}{30}\right)=2\frac{23}{30}$$

재희가 버스와 기차를 탄 시간은 모두 $2\frac{23}{30}$ 시간입니다.

14 답 6

$$\frac{4}{9}+\frac{\square}{12}=\frac{17}{18} \Rightarrow \frac{16}{36}+\frac{3\times\square}{36}=\frac{34}{36}$$

$16+3\times\square=34$이므로 $\square=6$입니다.

15 답 5

2, 4, 8의 최소공배수는 8입니다.

$$1\frac{\square}{8}<1\frac{1}{2}+\frac{1}{4} \Rightarrow 1\frac{\square}{8}<1\frac{4}{8}+\frac{2}{8}=1\frac{6}{8}$$

따라서 □ 안에 들어갈 수 있는 자연수 중에서 가장 큰 수는 5입니다.

16 답 $2\frac{9}{10}$ km

$$1\frac{8}{15}+1\frac{11}{30}=1\frac{16}{30}+1\frac{11}{30}=2\frac{27}{30}=2\frac{9}{10}$$

따라서 사용한 밧줄은 모두 $2\frac{9}{10}$ km입니다.

13 분수의 덧셈 (2)

p. 63~65

> 따라 푸는 서술형

01 <　　　　**02** >　　　　**03** $5\frac{7}{24}$

04 $5\frac{5}{18}$　　**05** $5\frac{11}{15}$　　**06** $8\frac{2}{9}$

> 따라 푸는 문장제 서술형

07 $1\frac{7}{36}$　　**08** $4\frac{23}{60}$ kg **09** $4\frac{3}{20}$

10 $9\frac{1}{8}$ 분　**11** $3\frac{1}{6}$　　**12** $2\frac{2}{35}$ 시간

> 스스로 푸는 서술형

13 $5\frac{14}{45}$　　**14** =　　　　**15** $4\frac{5}{16}$ L

16 $3\frac{7}{40}$ km

02 답 >

$$2\frac{3}{4}+2\frac{5}{6}=2\frac{9}{12}+2\frac{10}{12}$$
$$=4+\frac{19}{12}=5\frac{7}{12}=5\frac{14}{24}$$
$$1\frac{5}{8}+3\frac{7}{12}=1\frac{15}{24}+3\frac{14}{24}$$
$$=4+\frac{29}{24}=5\frac{5}{24}$$

따라서 ○ 안에 알맞은 것은 >입니다.

04 답 $5\frac{5}{18}$

$$3\frac{1}{2}+1\frac{7}{9}=\frac{7}{2}+\frac{16}{9}=\frac{63}{18}+\frac{32}{18}=\frac{95}{18}=5\frac{5}{18}$$

06 답 $8\frac{2}{9}$

세 분수의 자연수 부분의 크기를 비교하면

$1<4<6$이므로 가장 큰 분수는 $6\frac{2}{3}$,

가장 작은 분수는 $1\frac{5}{9}$입니다.

$6\frac{2}{3}+1\frac{5}{9}=6\frac{6}{9}+1\frac{5}{9}=7+\frac{11}{9}=8\frac{2}{9}$

08 답 $4\frac{23}{60}$ kg

| 문제 이해 |

무게의 합 $\Rightarrow$ $1\frac{4}{5}$와 $2\frac{7}{12}$ 을 더한다

| 해결 과정 |

$1\frac{4}{5}+2\frac{7}{12}=1\frac{48}{60}+2\frac{35}{60}=3+\frac{83}{60}=4\frac{23}{60}$

따라서 로봇과 곰 인형의 무게의 합은 $4\frac{23}{60}$ kg입니다.

10 답 $9\frac{1}{8}$분

| 문제 이해 |

두 사람이 연을 날린 시간 $\Rightarrow$ $3\frac{5}{8}$와 $5\frac{1}{2}$ 을 더한다

| 해결 과정 |

$3\frac{5}{8}+5\frac{1}{2}=3\frac{5}{8}+5\frac{4}{8}=8+\frac{9}{8}=9\frac{1}{8}$

따라서 두 사람이 연을 날린 시간은 $9\frac{1}{8}$분입니다.

12 답 $2\frac{2}{35}$시간

| 문제 이해 |

12분 $\Rightarrow$ $\frac{12}{60}=\frac{1}{5}$(시간)

| 해결 과정 |

$1\frac{6}{7}+\frac{1}{5}=\frac{13}{7}+\frac{1}{5}=\frac{65}{35}+\frac{7}{35}=\frac{72}{35}=2\frac{2}{35}$

따라서 마을에 도착하기까지 이동한 시간은 $2\frac{2}{35}$시간입니다.

13 답 $5\frac{14}{45}$

분수를 통분할 때 분자와 분모에 0이 아닌 같은 수를 곱해야 하는데 분모만 곱하고 분자에는 곱하지 않아 틀렸습니다. 바르게 계산하면 다음과 같습니다.

$3\frac{8}{15}+1\frac{7}{9}=3\frac{24}{45}+1\frac{35}{45}=4+\frac{59}{45}=5\frac{14}{45}$

14 답 $=$

$1\frac{2}{3}+1\frac{1}{2}=\frac{5}{3}+\frac{3}{2}=\frac{10}{6}+\frac{9}{6}=\frac{19}{6}=3\frac{1}{6}$

$1\frac{5}{6}+1\frac{1}{3}=\frac{11}{6}+\frac{4}{3}=\frac{11}{6}+\frac{8}{6}=\frac{19}{6}=3\frac{1}{6}$

따라서 ○에 알맞은 것은 $=$입니다.

15 답 $4\frac{5}{16}$ L

$2\frac{9}{16}+1\frac{3}{4}=2\frac{9}{16}+1\frac{12}{16}$

$=3+\frac{21}{16}=4\frac{5}{16}$

따라서 물통에 들어 있는 물은 $4\frac{5}{16}$ L입니다.

16 답 $3\frac{7}{40}$ km

$1\frac{7}{8}+1\frac{3}{10}=1\frac{35}{40}+1\frac{12}{40}$

$=2+\frac{47}{40}=3\frac{7}{40}$

따라서 은서가 집에서 도서관을 지나 학교까지 가는 거리는 $3\frac{7}{40}$ km입니다.

14 분수의 뺄셈 (1)

p. 67~69

> 따라 푸는 서술형

01 $\frac{17}{30}$ **02** $2\frac{13}{30}$ **03** $\frac{1}{4}$ **04** $\frac{1}{2}$

05 $3\frac{1}{24}$ **06** $2\frac{7}{18}$

> 따라 푸는 문장제 서술형

07 $\frac{1}{5}$ **08** $\frac{1}{12}$ m   **09** $\frac{1}{12}$

10 $\frac{3}{10}$ L   **11** $\frac{1}{2}$ **12** $\frac{5}{21}$시간

> 스스로 푸는 서술형

13 $4\frac{1}{4}$ **14** ㉢, ㉡, ㉠   **15** $1\frac{11}{20}$ cm

16 $3\frac{1}{24}$

02 답 $2\frac{13}{30}$

6과 5의 최소공배수는 30입니다.

$5\frac{5}{6}-3\frac{2}{5}=5\frac{25}{30}-3\frac{12}{30}$

$=2+\frac{13}{30}=2\frac{13}{30}$

04 답 $\dfrac{1}{2}$

$\dfrac{1}{3}=\dfrac{6}{18}$, $\dfrac{7}{9}=\dfrac{14}{18}$, $\dfrac{5}{18}=\dfrac{5}{18}$ 이므로

가장 큰 분수는 $\dfrac{7}{9}$이고 가장 작은 분수는 $\dfrac{5}{18}$입니다.

$\dfrac{7}{9}-\dfrac{5}{18}=\dfrac{14}{18}-\dfrac{5}{18}=\dfrac{9}{18}=\dfrac{1}{2}$

06 답 $2\dfrac{7}{18}$

어떤 수를 □라고 하면 $\square+\dfrac{4}{9}=2\dfrac{5}{6}$

$\square=2\dfrac{5}{6}-\dfrac{4}{9}=2\dfrac{15}{18}-\dfrac{8}{18}=2\dfrac{7}{18}$

08 답 $\dfrac{1}{12}$ m

| 문제 이해 |

남은 끈의 길이 ⇨ $\dfrac{5}{6}$에서 $\dfrac{3}{4}$을 빼다

| 해결 과정 |

$\dfrac{5}{6}-\dfrac{3}{4}=\dfrac{10}{12}-\dfrac{9}{12}=\dfrac{1}{12}$

따라서 남은 끈은 $\dfrac{1}{12}$ m입니다

10 답 $\dfrac{3}{10}$ L

| 문제 이해 |

양의 차이 ⇨ 분수를 통분하여 큰 수에서 작은 수를
빼다

| 해결 과정 |

우유: $1\dfrac{4}{5}=1+\dfrac{4\times2}{5\times2}=1\dfrac{8}{10}$

주스: $1\dfrac{1}{2}=1+\dfrac{1\times5}{2\times5}=1\dfrac{5}{10}$

$1\dfrac{4}{5}-1\dfrac{1}{2}=1\dfrac{8}{10}-1\dfrac{5}{10}=\dfrac{3}{10}$

따라서 우유와 주스의 차는 $\dfrac{3}{10}$ L입니다.

12 답 $\dfrac{5}{21}$ 시간

| 문제 이해 |

연수가 공부한 시간 ⇨ (서영이가 공부한 시간)$-\dfrac{1}{3}$

| 해결 과정 |

$\dfrac{4}{7}-\dfrac{1}{3}=\dfrac{12}{21}-\dfrac{7}{21}=\dfrac{5}{21}$

따라서 연수가 공부한 시간은 $\dfrac{5}{21}$ 시간입니다.

13 답 $4\dfrac{1}{4}$

$7\dfrac{7}{12}-3\dfrac{1}{3}=7\dfrac{7}{12}-3\dfrac{4}{12}=4+\dfrac{3}{12}=4\dfrac{1}{4}$

14 답 ©, ⓒ, ㉠

㉠ $3\dfrac{7}{8}-1\dfrac{1}{2}=3\dfrac{7}{8}-1\dfrac{4}{8}=2\dfrac{3}{8}=2\dfrac{9}{24}$

ⓒ $4\dfrac{3}{4}-2\dfrac{1}{6}=4\dfrac{9}{12}-2\dfrac{2}{12}=2\dfrac{7}{12}=2\dfrac{14}{24}$

© $5\dfrac{5}{6}-3\dfrac{1}{8}=5\dfrac{20}{24}-3\dfrac{3}{24}=2\dfrac{17}{24}$

따라서 계산 결과가 큰 것부터 차례대로 나열하면 ©,
ⓒ, ㉠입니다.

15 답 $1\dfrac{11}{20}$ cm

$3\dfrac{4}{5}-2\dfrac{1}{4}=3\dfrac{16}{20}-2\dfrac{5}{20}=1\dfrac{11}{20}$

따라서 가로와 세로의 차는 $1\dfrac{11}{20}$ cm입니다.

16 답 $3\dfrac{1}{24}$

어떤 수를 □라고 하면 $\square+1\dfrac{1}{6}=5\dfrac{3}{8}$

$\square=5\dfrac{3}{8}-1\dfrac{1}{6}=5\dfrac{9}{24}-1\dfrac{4}{24}=4\dfrac{5}{24}$

따라서 바르게 계산한 값은

$4\dfrac{5}{24}-1\dfrac{1}{6}=4\dfrac{5}{24}-1\dfrac{4}{24}=3\dfrac{1}{24}$입니다.

15 분수의 뺄셈 (2)

p. 71~73

> 따라 푸는 서술형

01 $1\dfrac{7}{10}$ **02** $2\dfrac{17}{18}$ **03** $<$ **04** $>$

05 $1\dfrac{9}{14}$ **06** $1\dfrac{9}{20}$

> 따라 푸는 문장제 서술형

07 $2\dfrac{19}{30}$ **08** $3\dfrac{11}{15}$ mL

09 $2\dfrac{17}{24}$ **10** $\dfrac{7}{10}$ m

11 $\dfrac{101}{105}$ **12** $4\dfrac{13}{15}$ kg

> 스스로 푸는 서술형

13 $2\dfrac{69}{80}$ **14** ㉡, ㉢, ㉠   **15** $28\dfrac{13}{18}$ kg

16 $1\dfrac{11}{15}$ kg

02 답 $2\dfrac{17}{18}$

[방법 1] 자연수는 자연수끼리, 분수는 분수끼리 빼서 계산하기

$$4\dfrac{5}{9}-1\dfrac{11}{18}=4\dfrac{10}{18}-1\dfrac{11}{18}=3\dfrac{28}{18}-1\dfrac{11}{18}$$
$$=(3-1)+\left(\dfrac{28}{18}-\dfrac{11}{18}\right)$$
$$=2\dfrac{17}{18}$$

[방법 2] 가분수로 고쳐서 계산하기

$$4\dfrac{5}{9}-1\dfrac{11}{18}=\dfrac{41}{9}-\dfrac{29}{18}=\dfrac{82}{18}-\dfrac{29}{18}=\dfrac{53}{18}$$
$$=2\dfrac{17}{18}$$

04 답 $>$

$$4\dfrac{1}{2}-1\dfrac{4}{7}=4\dfrac{7}{14}-1\dfrac{8}{14}=3\dfrac{21}{14}-1\dfrac{8}{14}$$
$$=2\dfrac{13}{14}=2\dfrac{260}{280}$$
$$4\dfrac{5}{8}-1\dfrac{4}{5}=4\dfrac{25}{40}-1\dfrac{32}{40}=3\dfrac{65}{40}-1\dfrac{32}{40}$$
$$=2\dfrac{33}{40}=2\dfrac{231}{280}$$

따라서 ○ 안에 알맞은 것은 $>$입니다.

06 답 $1\dfrac{9}{20}$

$3\dfrac{1}{5}-\square=1\dfrac{3}{4}$에서

$$\square=3\dfrac{1}{5}-1\dfrac{3}{4}=3\dfrac{4}{20}-1\dfrac{15}{20}$$
$$=2\dfrac{24}{20}-1\dfrac{15}{20}=1\dfrac{9}{20}$$

08 답 $3\dfrac{11}{15}$ mL

| 문제 이해 |
물감을 사용하였다 ⇨ $2\dfrac{2}{3}$를 뺀다.

| 해결 과정 |

$$6\dfrac{2}{5}-2\dfrac{2}{3}=6\dfrac{6}{15}-2\dfrac{10}{15}=5\dfrac{21}{15}-2\dfrac{10}{15}=3\dfrac{11}{15}$$

따라서 남은 물감은 $3\dfrac{11}{15}$ mL입니다.

10 답 $\dfrac{7}{10}$ m

| 문제 이해 |
끈을 잘라 사용했다 ⇨ $2\dfrac{3}{5}$을 뺀다

| 해결 과정 |

$$3\dfrac{3}{10}-2\dfrac{3}{5}=3\dfrac{3}{10}-2\dfrac{6}{10}=2\dfrac{13}{10}-2\dfrac{6}{10}=\dfrac{7}{10}$$

따라서 남은 끈의 길이는 $\dfrac{7}{10}$ m입니다.

12 답 $4\dfrac{13}{15}$ kg

| 문제 이해 |
배추를 주었다 ⇨ $7\dfrac{3}{10}$을 뺀다

| 해결 과정 |

$$12\dfrac{1}{6}-7\dfrac{3}{10}=12\dfrac{5}{30}-7\dfrac{9}{30}=11\dfrac{35}{30}-7\dfrac{9}{30}$$
$$=4\dfrac{26}{30}=4\dfrac{13}{15}$$

따라서 남은 배추는 $4\dfrac{13}{15}$ kg입니다.

13 답 $2\dfrac{69}{80}$

$\square+1\dfrac{7}{16}=4\dfrac{3}{10}$이므로

$$\square=4\dfrac{3}{10}-1\dfrac{7}{16}=4\dfrac{24}{80}-1\dfrac{35}{80}=3\dfrac{104}{80}-1\dfrac{35}{80}$$
$$=2\dfrac{69}{80}$$

14 답 ⓛ, ⓒ, ㉠

㉠ $5\frac{3}{8}-1\frac{5}{6}=5\frac{9}{24}-1\frac{20}{24}=4\frac{33}{24}-1\frac{20}{24}$
$=3\frac{13}{24}$

ⓛ $4\frac{7}{10}-3\frac{4}{5}=4\frac{7}{10}-3\frac{8}{10}=3\frac{17}{10}-3\frac{8}{10}$
$=\frac{9}{10}$

ⓒ $3\frac{1}{4}-1\frac{7}{16}=3\frac{4}{16}-1\frac{7}{16}=2\frac{20}{16}-1\frac{7}{16}$
$=1\frac{13}{16}$

15 답 $28\frac{13}{18}$ kg

아버지의 몸무게에서 예주의 몸무게를 **빼면**

$72\frac{1}{6}-43\frac{4}{9}=72\frac{3}{18}-43\frac{8}{18}=71\frac{21}{18}-43\frac{8}{18}$
$=28\frac{13}{18}$

따라서 아버지는 예주보다 $28\frac{13}{18}$ kg 더 무겁습니다.

16 답 $1\frac{11}{15}$ kg

덜어낸 음료수의 양을 구하기 위해서는 처음에 음료수가 가득 든 병의 무게에서 음료수를 덜어낸 후 잰 병의 무게를 **빼면** 됩니다.

$7\frac{1}{3}-5\frac{3}{5}=7\frac{5}{15}-5\frac{9}{15}=6\frac{20}{15}-5\frac{9}{15}=1\frac{11}{15}$

따라서 덜어낸 음료수의 무게는 $1\frac{11}{15}$ kg입니다.

---

p. 74

단계별로, 문제해결 능력을 키우자!

두 번 튕기는 동안 공은 총 5번 이동합니다.
튕길 때마다 올라오는 높이는 떠있는 높이의 절반이 되므로 한 번 튕겼을 때의 높이는 2 m의 절반인 1 m이고
두 번 튕겼을 때의 높이는 1 m의 절반인 $\frac{1}{2}$ m입니다.
따라서 공이 각각 움직인 거리를 더하면
$2+1+1+\frac{1}{2}+\frac{1}{2}=5$(m)입니다.

답 5(m)

---

6 다각형의 둘레와 넓이

16 다각형의 둘레

p. 77~79

> 따라 푸는 서술형
01 11 **02** 6 cm **03** 7
04 6 cm **05** 6 **06** 9 cm

> 따라 푸는 문장제 서술형
07 480 **08** 280 m **09** 12
10 12 cm **11** 220 **12** 320 cm

> 스스로 푸는 서술형
13 32 cm **14** 42 cm **15** 40 cm
16 9 cm

02 답 6 cm

(직사각형의 둘레)={(가로)+(세로)}×2이므로
18={3+(세로)}×2, 3+(세로)=9
따라서 세로는 9−3=6(cm)입니다.

04 답 6 cm

(정팔각형의 둘레)=(한 변의 길이)×8이므로
48=(한 변의 길이)×8
따라서 정팔각형의 한 변의 길이는 6 cm입니다.

06 답 9 cm

(평행사변형의 둘레)
={(한 변의 길이)+(다른 한 변의 길이)}×2이므로
46={14+(다른 한 변의 길이)}×2,
14+(다른 한 변의 길이)=23
따라서 다른 한 변의 길이는 9 cm입니다.

08 답 280 m

| 문제 이해 |
마름모의 둘레 ⇨ (한 변의 길이)×4
| 해결 과정 |
목장의 둘레는 70×4=280(m)입니다.

10 답 12 cm

| 문제 이해 |

정칠각형의 둘레 ⇨ (한 변의 길이)×7

| 해결 과정 |

책상의 한 변의 길이는 (둘레)÷7이므로
84÷7=12(cm)입니다.

12 답 320 cm

| 문제 이해 |

직각으로 이루어진 도형의 둘레
⇨ 오목한 부분은 평행하게 옮겨 직사각형으로 만든
후 추가되는 변의 길이를 더한다

| 해결 과정 |

가로 100 cm, 세로 60 cm인 직사각형의 둘레는
(100+60)×2=320(cm)입니다.
이때 추가되는 변은 없으므로 도형의 둘레는 320 cm
입니다.

13 답 32 cm

오목한 부분을 평행하게 옮기면 도형의 둘레는 가로
가 8 cm, 세로가 8 cm인 정사각형의 둘레와 같습니다.
따라서 (도형의 둘레)=8×4=32(cm)입니다.

14 답 42 cm

오목한 부분을 평행하게 옮기면 도형의 둘레는 가로
가 8 cm, 세로가 8 cm인 정사각형의 둘레에 5 cm
인 변 2개를 더한 것과 같습니다.
따라서 (도형의 둘레)=8×4+5×2=42(cm)입니다.

15 답 40 cm

오목한 부분을 평행하게 옮기면 도형의 둘레는 가로가
10 cm, 세로가 10 cm인 정사각형의 둘레와 같습니다.
따라서 (도형의 둘레)=10×4=40(cm)입니다.

16 답 9 cm

(평행사변형의 둘레)
={(한 변의 길이)+(다른 한 변의 길이)}×2이므로
지수가 만든 평행사변형의 둘레는
(16+11)×2=54(cm)입니다.
54 cm의 끈으로 정육각형을 만들었을 때
(정육각형의 둘레)=(한 변의 길이)×6이므로
54=(한 변의 길이)×6입니다.
따라서 정육각형의 한 변의 길이는 54÷6=9(cm)
입니다.

17 넓이의 단위

p. 81~83

> 따라 푸는 서술형

01 >　　**02** <　　**03** 40

04 40번　　**05** 4　　**06** 3 m²

> 따라 푸는 문장제 서술형

07 m²　　**08** km²　　**09** 75

10 54번　　**11** 300　　**12** 1600개

> 스스로 푸는 서술형

13 539000000 m²

14 영미의 텃밭이 더 넓습니다.

15 70315　　**16** 풀이 참조

02 답 <

45 km²=45000000 m²이므로 ○ 안에 알맞은 것은
<입니다.

04 답 40번

4000 m=4 km이므로 한 변의 길이가 1 km인 정
사각형이 가로로 10개, 세로로 4개 들어갑니다. 따라
서 1 km²가 10×4=40(번) 들어갑니다.

06 답 3 m²

정사각형 15개의 넓이가 45 m²이므로 정사각형 1개
의 넓이는 45÷15=3(m²)입니다.

08 답 km²

| 문제 이해 |

m²보다 큰 경우 ⇨ km² 사용

| 해결 과정 |

서울과 경기도의 면적을 cm²나 m²로 나타내면 수가
커져서 불편합니다. 따라서 서울과 경기도의 면적은
km²로 나타내면 알맞습니다.

10 답 54번

| 문제 이해 |

가로 ⇨ 3×6=18(km)

| 해결 과정 |

세로는 3 km이고 가로는 3×6=18(km)입니다.
따라서 1 km²가 18×3=54(번) 들어갑니다.

12 답 1600개

| 문제 이해 |

8 m ⇨ 800 cm, 2 m ⇨ 200 cm

| 해결 과정 |

벽의 가로에 타일을 모두 붙이려면
$800 \div 10 = 80$(개)의 타일이 필요합니다.
벽의 세로에 타일을 모두 붙이려면
$200 \div 10 = 20$(개)의 타일이 필요합니다.
따라서 벽에 붙이기 위해서는 $80 \times 20 = 1600$(개)의
타일이 필요합니다.

13 답 539000000 m²

km^2를 m^2로 바꾸는 과정에서 틀렸습니다.
$1 \ km^2 = 1000000 \ m^2$이므로
$539 \ km^2 = 539000000 \ m^2$로 고쳐야 합니다.

14 답 영미네 텃밭이 더 넓습니다.

단위를 비교하는 것이 틀렸습니다.
$36 \ m^2 = 360000 \ cm^2$입니다.
따라서 단위를 올바르게 바꾸어 비교하면 영미네 텃
밭이 더 넓습니다.

15 답 70315

$75000000 \ m^2 = 75 \ km^2$이므로 ㉠은 75입니다.
$2400000 \ cm^2 = 240 \ m^2$이므로 ㉡은 240입니다.
$7 \ m^2 = 70000 \ cm^2$이므로 ㉢은 70000입니다.
따라서 $75 + 240 + 70000 = 70315$입니다.

16 답 풀이 참조

한 변이 1 cm인 정사각형의 넓이를 $1 \ cm^2$이라 하고
한 변이 1 m인 정사각형의 넓이를 $1 \ m^2$라고 합니다.
1 m는 100 cm와 같으므로 한 변이 1 m인 정사각형
의 가로에는 한 변의 길이가 1 cm인 정사각형이 100
개, 세로에도 한 변의 길이가 1 cm인 정사각형이
100개 들어갑니다.
따라서 한 변의 길이가 1 m인 정사각형에는 한 변의
길이가 1 cm인 정사각형이 $100 \times 100 = 10000$(개)
들어가므로 넓이가 $1 \ m^2$인 정사각형에는 넓이가
$1 \ cm^2$인 정사각형이 10000개 들어가게 되어
$10000 \ cm^2 = 1 \ m^2$입니다.

18 직사각형의 넓이

p. 85~87

> **따라 푸는 서술형**
> **01** 7   **02** 9 cm   **03** 69
> **04** 161 cm² **05** 204   **06** 41184 m²
>
> > **따라 푸는 문장제 서술형**
> **07** 7   **08** 7 cm   **09** 15
> **10** 300 cm² **11** 32   **12** 21 cm²
>
> > **스스로 푸는 서술형**
> **13** 240 cm² **14** 893 cm²
> **15** 63 cm² **16** 355 cm²

02 답 9 cm

(정사각형의 넓이)=(한 변의 길이)×(한 변의 길이)
이므로 81=(한 변의 길이)×(한 변의 길이)입니다.
따라서 정사각형의 한 변의 길이는 9 cm입니다.

04 답 161 cm²

큰 정사각형에서 작은 정사각형의 넓이를 빼면
$15 \times 15 - 8 \times 8 = 225 - 64 = 161 \ (cm^2)$입니다.

06 답 41184 m²

색칠한 부분을 모으면
가로가 $300 - 18 - 18 = 264$(m),
세로가 $200 - 22 - 22 = 156$(m)인 직사각형이 됩
니다.
따라서 색칠한 부분의 넓이는
$264 \times 156 = 41184 (m^2)$입니다.

08 답 7 cm

| 문제 이해 |

작은 정사각형의 넓이 ⇨ 113−(큰 정사각형의 넓이)

| 해결 과정 |

(큰 정사각형의 넓이)=$8 \times 8 = 64 (cm^2)$
(작은 정사각형의 넓이)
=113−(큰 정사각형의 넓이)
=$113 - 64 = 49 (cm^2)$
따라서 작은 정사각형 한변의 길이는 7 cm입니다.

10 답 300 cm²

| 문제 이해 |

(가로)+(세로) ⇨ $70 \div 2$
(세로) ⇨ (가로)+5

(가로)+(세로)=70÷2=35(cm)이고
(세로)=(가로)+5이므로 (가로)+(가로)+5=35에서
(가로)=15(cm)입니다.
따라서 가로가 15 cm, 세로가 20 cm이므로 넓이는
15×20=300(cm^2)입니다.

12 답 21 cm^2

| 문제 이해 |
새로운 정사각형의 한 변의 길이 ⇨ 2+3(cm)

| 해결 과정 |
길이가 늘어나기 전의 정사각형의 넓이는
2×2=4(cm^2)이고, 길이가 3 cm씩 늘어난 후의
정사각형의 넓이는
(2+3)×(2+3)=5×5=25(cm^2)입니다.
따라서 늘어난 넓이는 25-4=21(cm^2)입니다.

13 답 240 cm^2
두 직사각형이 모양과 크기가 같으므로 직사각형의
남은 한 변의 길이는 23-15=8(cm)입니다.
따라서 직사각형의 넓이는 15×8=120(cm^2)이고
전체 도형의 넓이는 120×2=240(cm^2)입니다.

14 답 893 cm^2
종이를 이어 붙이게 되면 5장의 종이가 4번 겹쳐지게
되므로
가로가 (11×5)-(2×4)=55-8=47(cm),
세로가 19 cm인 직사각형이 됩니다.
따라서 직사각형의 넓이는 47×19=893(cm^2)입니다.

15 답 63 cm^2

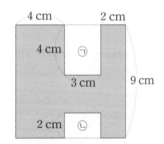

(도형의 넓이)
=(직사각형의 넓이)-(㉠의 넓이)-(㉡의 넓이)
(직사각형의 넓이)=(4+3+2)×9=81(cm^2)
(㉠의 넓이)=4×3=12(cm^2)
(㉡의 넓이)=2×3=6(cm^2)
따라서 도형의 넓이는 81-12-6=63(cm^2)입니다.

16 답 355 cm^2
가로가 15 cm, 세로가 13 cm인 셀로판지의 넓이는
15×13=195(cm^2)입니다. 겹쳐지는 부분인 작은
직사각형의 가로는 15+15-25=5(cm)이고, 세
로는 13+13-19=7(cm)이므로 작은 직사각형의
넓이는 5×7=35(cm^2)입니다.
따라서 셀로판 종이의 전체 넓이는
195×2-35=390-35=355(cm^2)입니다.

19 평행사변형과 삼각형의 넓이

p. 89~91

> 따라 푸는 서술형
01 8   **02** 16   **03** 10
04 12   **05** 36   **06** 60

> 따라 푸는 문장제 서술형
07 300   **08** 150 cm^2 **09** 24
10 28가지   **11** 75   **12** 25 cm^2

> 스스로 푸는 서술형
13 41 cm^2 **14** 20 cm^2 **15** 18 cm^2
16 99 cm^2

02 답 16
(삼각형의 넓이)=(밑변의 길이)×7÷2=56(cm^2)
따라서 삼각형의 밑변은 16 cm입니다.

04 답 12
밑변을 22 m, 높이를 6 m로 하면
넓이는 22×6=132(m^2)
밑변을 11 m로 하면 11×(높이)=132(m^2)이므로
높이는 132÷11=12(m)입니다.

06 답 60
밑변의 길이를 75 m, 높이를 36 m로 하면 넓이는
75×36÷2=1350(m^2)
높이를 45 m로 하면 (밑변의 길이)×45÷2=1350
이므로 밑변은 1350×2÷45=60(m)입니다.

08 답 150 cm^2

| 문제 이해 |
색칠된 부분의 넓이 ⇨ (삼각형 한 개의 넓이)×15

| 해결 과정 |
삼각형 한 개의 넓이는 $5\times4\div2=10(\text{cm}^2)$
따라서 색칠된 부분의 넓이는 $10\times15=150(\text{cm}^2)$
입니다.

10 답 28가지

| 문제 이해 |
$10000\,\text{cm}^2 \Rightarrow 1\,\text{m}^2$

| 해결 과정 |
삼각형 모양의 벽면 넓이는 $800\times700\div2=280000$
이고 $280000\,\text{cm}^2=28\,\text{m}^2$입니다.
따라서 모두 28가지 색으로 칠할 수 있습니다.

12 답 $25\,\text{cm}^2$

| 문제 이해 |
삼각형의 밑변의 길이 $\Rightarrow$ (높이)$\times2$

| 해결 과정 |
삼각형의 밑변의 길이는 (높이)$\times2$이므로
(높이)$\times2+$(높이)$=15$에서 높이는 $5\,\text{cm}$입니다.
따라서 밑변의 길이는 $5\times2=10(\text{cm})$이므로 삼각
형의 넓이는 $10\times5\div2=25(\text{cm}^2)$입니다.

13 답 $41\,\text{cm}^2$

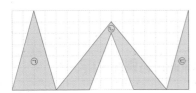

(㉠의 넓이)$=4\times7\div2=14(\text{cm}^2)$
(㉡의 넓이)
$=$(큰 삼각형의 넓이)$-$(작은 삼각형의 넓이)
$=(10\times6\div2)-(4\times5\div2)=20(\text{cm}^2)$
(㉢의 넓이)$=2\times7\div2=7(\text{cm}^2)$
따라서 색칠한 부분의 넓이는 $14+20+7=41(\text{cm}^2)$
입니다.

14 답 $20\,\text{cm}^2$
(색칠한 부분의 넓이)
$=$(평행사변형의 넓이)
$\quad-$(㉠의 넓이)
$\quad-$(㉡의 넓이)
$\quad-$(㉢의 넓이)

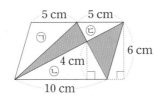

(평행사변형의 넓이)$=10\times6=60(\text{cm}^2)$
(㉠의 넓이)$=5\times6\div2=15(\text{cm}^2)$
(㉡의 넓이)$=10\times4\div2=20(\text{cm}^2)$

(㉢의 넓이)$=5\times2\div2=5(\text{cm}^2)$
따라서 색칠한 부분의 넓이는
$60-15-20-5=20(\text{cm}^2)$입니다.

15 답 $18\,\text{cm}^2$
(색칠한 부분의 넓이)
$=$(평행사변형의 넓이)$-$(직각 삼각형의 넓이)$\times2$
(평행사변형의 넓이)$=13\times6=78(\text{cm}^2)$
(직각 삼각형의 넓이)$=12\times5\div2=30(\text{cm}^2)$
따라서 색칠한 부분의 넓이는 $78-30\times2=18(\text{cm}^2)$
입니다.

16 답 $99\,\text{cm}^2$
(색칠한 부분의 넓이)
$=$(두 정사각형의 넓이의 합)$-$ (삼각형의 넓이)
(두 정사각형 넓이의 합)
$=12\times12+9\times9=225(\text{cm}^2)$
(삼각형의 넓이)$=(12+9)\times12\div2=126(\text{cm}^2)$
따라서 색칠한 부분의 넓이는
$225-126=99(\text{cm}^2)$입니다.

20 마름모와 사다리꼴의 넓이

p. 93~95

> 따라 푸는 서술형
01 12   **02** 6   **03** 32
04 $120\,\text{cm}^2$ **05** 은율   **06** 현지

> 따라 푸는 문장제 서술형
07 28   **08** $50\,\text{cm}^2$ **09** 12
10 $7\,\text{cm}$ **11** 3   **12** $4\,\text{m}$

> 스스로 푸는 서술형
13 $221\,\text{cm}^2$ **14** $752\,\text{cm}^2$ **15** $120\,\text{cm}^2$
16 $60\,\text{cm}^2$

02 답 6
(사다리꼴의 넓이)
$=\{$(윗변의 길이)$+$(아랫변의 길이)$\}\times$(높이)$\div2$이므로
$30=(6+4)\times$(높이)$\div2$입니다. 따라서 높이는
$6\,\text{cm}$입니다.

04 답 $120\,\text{cm}^2$
사다리꼴의 넓이는 $(24+14)\times10\div2=190(\text{cm}^2)$
마름모의 넓이는 $14\times10\div2=70(\text{cm}^2)$

따라서 색칠한 부분의 넓이는 $190-70=120(\text{cm}^2)$
입니다.

06 답 현지

(경석이가 그린 사다리꼴의 넓이)
$=(28+40)\times12\div2=408(\text{cm}^2)$
(현지가 그린 사다리꼴의 넓이)
$=(45+22)\times16\div2=536(\text{cm}^2)$
따라서 현지가 그린 사다리꼴의 넓이가 더 넓습니다.

08 답 $50\,\text{cm}^2$

| 문제 이해 |
마름모의 대각선의 길이 ⇨ 정사각형의 가로, 세로
| 해결 과정 |
마름모의 대각선의 길이는 각각 $10\,\text{cm}$, $10\,\text{cm}$이므
로 넓이는 $10\times10\div2=50(\text{cm}^2)$입니다.

10 답 $7\,\text{cm}$

| 문제 이해 |
색종이 윗변의 길이를 ▲라 하면
⇨ $(15+▲)\times8\div2=88$
| 해결 과정 |
$(15+▲)\times8\div2=88$
따라서 색종이의 윗변의 길이는 $7\,\text{cm}$입니다.

12 답 $4\,\text{m}$

| 문제 이해 |
높이를 ▲라 하면 ⇨ $(3+7)\times▲\div2=5\times8\div2$
| 해결 과정 |
$(3+7)\times▲\div2=5\times8\div2$
따라서 꽃밭의 높이는 $4\,\text{m}$입니다.

13 답 $221\,\text{cm}^2$

(색칠한 부분의 넓이)$=$(큰 마름모의 넓이)$\div2$
(큰 마름모의 넓이)$=34\times26\div2=442(\text{cm}^2)$
따라서 색칠한 부분의 넓이는 $442\div2=221(\text{cm}^2)$
입니다.

14 답 $752\,\text{cm}^2$

(색칠할 부분의 넓이)$=$(상자의 모든 면의 넓이의 합)
(윗면의 넓이)$=8\times8=64(\text{cm}^2)$
(아랫면의 넓이)$=18\times18=324(\text{cm}^2)$
(옆면의 넓이)$=$(사다리꼴의 넓이)
$\qquad\qquad\quad=(8+18)\times7\div2=91(\text{cm}^2)$

따라서 색칠할 부분의 넓이는
$64+324+(91\times4)=752(\text{cm}^2)$입니다.

15 답 $120\,\text{cm}^2$

(색칠한 부분의 넓이)
$=$(사다리꼴의 넓이)$-$(마름모의 넓이)
(사다리꼴의 넓이)
$=(16+24)\times12\div2=240(\text{cm}^2)$
(마름모의 넓이)$=20\times12\div2=120(\text{cm}^2)$
따라서 색칠한 부분의 넓이는
$240-120=120(\text{cm}^2)$입니다.

16 답 $60\,\text{cm}^2$

사다리꼴의 높이를 구하기 위해 삼각형의 넓이를 이
용합니다.
밑변을 $12\,\text{cm}$, 높이를 $4\,\text{cm}$로 하는 삼각형에서 넓
이는 $12\times4\div2=24(\text{cm}^2)$이고 이 삼각형에서 밑변
을 $8\,\text{cm}$으로 하면 $8\times$(높이)$\div2=24$이므로 높이는
$6\,\text{cm}$입니다.
밑변을 $8\,\text{cm}$로 한 삼각형의 높이는 사다리꼴의 높이
와 같으므로 사다리꼴의 넓이는
$(12+8)\times6\div2=60(\text{cm}^2)$입니다.

p. 96

단계별로, 문제해결 능력을 키우자!

타일로 벽을 직접 채워보면 모두 채울 수 없음을 알 수 있
습니다.
왜 채울 수 없는지 정사각형과 직사각형의 넓이를 이용하
여 알아보면 다음과 같습니다.
벽의 넓이는 $9\times9=81(\text{m}^2)$이고 타일 1개의 넓이는
$2\times1=2(\text{m}^2)$입니다.
타일 1개, 2개, 3개, 4개……를 겹치지 않게 채우면 타일
로 채운 넓이는 $2\,\text{m}^2$, $4\,\text{m}^2$, $6\,\text{m}^2$, $8\,\text{m}^2$……가 됩니다.
타일 40개를 겹치지 않게 채우면 타일로 채운 넓이는
$2\times40=80(\text{m}^2)$이므로 벽의 넓이 $81\,\text{m}^2$에서 빈 공간의
넓이는 $1\,\text{m}^2$입니다.
이때 타일 1개의 넓이는 $2\,\text{m}^2$이므로 마지막 41개째 타일
을 놓으면 그 넓이는 $2\times41=82(\text{m}^2)$가 되고 다른 타일과
겹치게 됩니다.
따라서 타일을 이용하여 빈틈없이 겹치지 않게 벽을 채울
수 없습니다.

답 채울 수 없습니다.

풍산자
개념 x 서술형
초등 수학 5-1

중학 풍산자로 개념과 문제를 꼼꼼히 풀면 성적이 지속적으로 향상됩니다

상위권으로의 도약을 위한 중학 풍산자 로드맵

원리 개념서	기초 반복 훈련서	실전 평가 테스트	실전 문제 유형서
▶ 풍산자 개념완성	▶ 풍산자 반복수학	▶ 풍산자 테스트북	▶ 풍산자 필수유형

중학 풍산자 교재		하	중하	중	상
원리 개념서 **풍산자 개념완성**	강남구청 인터넷수능방송 강의교재	필수 문제로 개념 정복, 개념 학습 완성			
기초 반복훈련서 **풍산자 반복수학**		개념 및 기본 연산 정복, 기초 실력 완성			
실전평가 테스트 **풍산자 테스트북**			단원별 엄선 문제, 실력 점검 및 실전 대비		
실전 문제유형서 **풍산자 필수유형**	강남구청 인터넷수능방송 강의교재			모든 기출 유형 정복, 시험 준비 완료